boîte à lunch

emballante

Données de catalogage avant publication (Canada)
Breton, Marie
Boîte à lunch emballante : recettes et astuces
ISBN 2-89077-217-9

1. Cuisine pour boîtes à lunch. I. Emond, Isabelle. II. Titre.
TX735.B73 2001 641.5'3 C2001-940991-5

Photos : Louis Desjardins
Styliste : Linda McKenty
Accessoires : Ares, Baron sport et Stokes

Conception graphique, illustrations et mise en page : Olivier Lasser

© 2001, Flammarion Québec

Tous droits réservés
ISBN 2-89077-217-9
Dépôt légal : 3e trimestre 2001

IMPRIMÉ AU CANADA

MARIE BRETON ET ISABELLE EMOND

diététistes

boîte à lunch
emballante

Recettes et astuces

Simplement merci !

Écrire ce livre fut un plaisir ! Un plaisir auquel ont contribué tous ceux qui, par leurs connaissances, leur expérience, leur sens critique ou leur enthousiasme nous ont rendu la vie si facile. Du fond du cœur, nous vous disons « merci » !

À Louise Loiselle, notre éditrice passionnée, qui a cru en ce projet dès le début et lui a donné des ailes.

À Marielle Ledoux, Ph. D., professeure titulaire au Département de nutrition de l'Université de Montréal qui, malgré un emploi du temps « sportif », n'a pas hésité à partager ses trucs sur l'alimentation lors de l'entraînement.

Aux parents et aux élèves de l'École Saint-Émile, à Montréal, et du Pensionnat des Sacrés-Cœurs, à Saint-Bruno, pour nous avoir livré sans retenue leurs préférences alimentaires.

À Michel Boudreau, un passionné d'informatique qui a miraculeusement récupéré des documents « perdus » et grâce à qui les laborieux calculs de valeur nutritive des recettes ont (presque) été un jeu d'enfant.

À Victor, Jeanne et Estelle, les enfants d'Isabelle, pour avoir expérimenté (quelquefois à maintes reprises!) la majorité des recettes de ce livre. Grâce à vous, nos créations ont subi les tests avec succès! Un merci spécial à toi, Victor, pour tes suggestions toutes personnelles…

À Gabriel et Julien, les fils de Marie, dont le goût de l'aventure lui a fourni, outre les moments heureux passés ensemble, l'expérience pratique essentielle pour documenter ce livre. À quand la prochaine sortie, les enfants ?

Et à Pierre et à Charles, les conjoints respectifs de Marie et d'Isabelle, pour ces nombreux week-ends et soirées où nous avons dû préférer nos chaudrons, nos ordinateurs ou les rayons des articles pour boîte à lunch des grands magasins. Une boîte à lunch pour deux seulement, ça vous plairait ?

Introduction

Des nouvelles emballantes !

Vous avez la tâche de préparer pour la marmaille, le conjoint ou vous-même des lunchs qui prendront la route du bureau, de l'école, du service de garde, du camp de jour ou des vacances? Eh bien vous n'êtes pas la seule personne à qui ce travail incombe puisque environ un Canadien sur trois part le matin boîte à lunch sous le bras! Une réalité qui n'a rien d'étonnant quand on pense aux avantages, fort nombreux, de préparer et d'apporter son repas maison.

Primo, un lunch, c'est économique. On dépense facilement 5 à 10 $ pour un repas du midi au restaurant (pourboire non inclus!), alors qu'un bon lunch coûte sans effort moins de la moitié. Et lorsqu'on épargne ne serait-ce que 5 $ par jour de semaine en frais de restaurant, on économise par année plus de 1 300 $. De quoi se payer une semaine de vacances au soleil, un nouvel ordinateur ou une superbicyclette!

Secundo, lorsqu'on fait son lunch, on sait ce qu'il y a dedans! On choisit la qualité et la quantité des aliments du repas de telle façon que son destinataire mange chaque jour à son goût, à sa faim, selon ses besoins nutritionnels et son emploi du temps.

Enfin, un lunch, c'est si pratique. Ça se laisse manger n'importe quand, lorsqu'on a faim, lorsqu'on est prêt. Et n'importe où : à la cafétéria, au parc ou à la rigueur à son poste de travail ou dans ses déplacements à pied ou en voiture. Le lunch est mobile et toujours à la portée de la main.

Il est vrai qu'à raison de quatre personnes par famille, de cinq jours par semaine et de 50 semaines par année… on en arrive à 1 000 lunchs nourrissants et alléchants à préparer dans l'année! Bien sûr, tel n'est pas notre lot à tous. N'empêche que pour plusieurs d'entre nous, parents, étudiants ou travailleurs, la préparation des lunchs représente une corvée routinière à laquelle on aimerait bien se soustraire.

La bonne nouvelle? Deux diététistes, amies et mamans, ont accepté de déballer leur sac à lunch! Dans *BOÎTE À LUNCH emballante,* nous vous livrons sur un plateau les recettes et les stratégies qui ont fait leurs preuves auprès des nôtres. Notre credo : rapidité, santé et plaisir. Vous trouverez donc dans les pages qui suivent :

- **des recettes rapides à préparer, saines et appétissantes** allant de la soupe au dessert, y compris des recettes végétariennes, des recettes qui se réalisent en 15 minutes ou moins, des recettes de mets qui se congèlent et qui se mangent chauds ou froids, et des recettes qui peuvent même, pour certaines, être préparées par des enfants. Et pour chacune, des données sur la valeur nutritive par portion et des capsules d'information bien choisies;
- **des pages d'information et de conseils judicieux** sur les besoins nutritionnels des petits et des grands, le choix du matériel pour la boîte à lunch, les aliments à inclure, la gestion du temps, les précautions à prendre de l'achat des denrées à leur consommation, sans oublier les repas surgelés, les substituts de repas et les restaurants-minute. Le tout présenté en petites bouchées faciles à digérer et parsemées de listes et de tableaux de lecture facile; enfin,
- **quatre semaines de menus variés et équilibrés** pour nourrir l'inspiration au quotidien.

Prêts et prêtes pour l'aventure? Alors allons-y! Et que nos lunchs se suivent et ne se ressemblent pas...

Chapitre 1
On s'équipe !

Un moteur performant, une transmission souple, une faible consommation d'essence, c'est important lorsqu'on choisit une voiture. Mais une carrosserie robuste, un habitacle logeable et un équipement fiable le sont tout autant. Il en va de même de notre lunch. Aussi bien préparé soit-il, on ne l'appréciera pleinement que s'il est entouré des meilleurs accessoires. En effet, qui voudrait d'une banane réduite en purée, d'un sandwich écrasé, d'un muffin détrempé, d'un lait chaud ou d'une soupe tiède ? Ou pire, être malade après avoir ingéré un repas contaminé ? Heureusement, on trouve de nos jours sur le marché une profusion de boîtes à lunch, de bouteilles isolantes, de contenants en plastique et d'autres articles pratiques, efficaces et bon marché. Alors plus d'excuses !

Avant d'acheter : 6 questions à se poser

1. **Ai-je l'habitude d'apporter un repas complet ou seulement une partie du lunch que je complète sur place ?** Dans le second cas, moins d'accessoires seront nécessaires et le sac à lunch pourra être plus petit.

2. **Au travail ou à l'école, ai-je accès à un réfrigérateur pour y garder les mets jusqu'à l'heure du repas ?** Si oui, le besoin en bouteilles isolantes et en contenants réfrigérants sera réduit et le sac à lunch pourra être plus petit et moins isolant.

3. **Est-ce que je dispose d'un micro-ondes pour réchauffer les mets au moment du repas ?** Si oui, le besoin en bouteilles isolantes sera moindre.

4. **Le lunch sera-t-il consommé plusieurs heures après sa préparation ?** Si oui, il faudra accorder plus d'importance à la qualité des bouteilles isolantes et à l'isolation thermique du sac à lunch.

5. **Est-ce que je préfère acheter ma boisson froide ou chaude sur place plutôt que de l'emporter de la maison ?** Si oui, les bouteilles isolantes pour boissons pourront ne pas être nécessaires.

6. **Qui sera le principal utilisateur de l'équipement ?** La robustesse et la capacité des accessoires en dépendront.

L'équipement idéal...

- Il est suffisamment polyvalent pour favoriser la diversité du menu.
- Il est assez grand pour loger confortablement tous les aliments.
- Il maintient les mets à la bonne température (chaude ou froide) et ainsi leur saveur, leur texture, leur valeur nutritive et leur innocuité.
- Il est suffisamment robuste pour supporter quelques coups durs...

Les accessoires d'abord !

Mieux vaut avant tout faire l'acquisition des bouteilles isolantes, contenants hermétiques et autres pièces d'équipement qui répondront à nos besoins. On choisira ensuite une boîte ou un sac à lunch suffisamment grand pour accueillir confortablement tout notre matériel.

Les bouteilles isolantes (ou thermos)

On les appelle communément « thermos ». De fait, ce nom est une marque de commerce qui est passée dans l'usage. Les bouteilles isolantes sont conçues pour garder les boissons et les aliments chauds ou froids à la même température pendant plusieurs heures. On en trouve en plastique, en acier inoxydable et en verre, de toutes les capacités et de tous les prix. À nous de choisir selon nos besoins.

PETIT OU GRAND GOULOT ?

Le choix d'une bouteille isolante à petite ou à grande ouverture dépend de l'usage qu'on veut en faire.

Le petit goulot : il facilite le transvasement et limite la perte de chaleur. Il est idéal pour les soupes et les boissons chaudes ou froides.
Le grand goulot : il rend le nettoyage de la bouteille plus aisé. Il est tout indiqué pour les aliments solides (soupes, salades, plats cuisinés) mais convient aussi aux liquides.

LES BOUTEILLES EN PLASTIQUE

Elles sont bon marché et moins fragiles que les bouteilles à ampoule de verre. Et on peut y manger directement sans crainte de les abîmer.

La plupart sont isolées de mousse, d'autres de verre et d'autres encore, d'une combinaison de verre et de mousse. Il va de soi que la présence d'une ampoule de verre augmente leur fragilité. Fait nouveau : certains modèles sont pourvus d'un agent qui s'active au four à micro-ondes pour continuer de produire de la chaleur même après leur sortie du four. On peut y réchauffer directement les aliments (sans placer le couvercle toutefois).

Leur efficacité ? Elle est plus ou moins bonne selon les modèles. D'une façon générale et à l'exception de celles qui sont conçues

pour le micro-ondes, ces bouteilles conviennent davantage aux boissons et aux mets froids (jus, lait, salades, mets cuisinés froids).
Leur coût ? Entre 6 $ et 15 $ selon le format (entre 235 ml et 500 ml).
Pour qui ? Les enfants en particulier, car elles sont généralement résistantes.

PRATIQUE : LE PETIT THERMOS ROND (235 ML) À GRANDE OUVERTURE

Convient aux poudings, salades de fruits, yogourts, gélatines et autres desserts ou goûters froids. Pour une efficacité accrue, on peut refroidir le couvercle en le plaçant au réfrigérateur ou au congélateur pendant la nuit.
Son coût ? Environ 3 $.

LES BOUTEILLES À AMPOULE DE VERRE

Celles de notre enfance, abordables mais cassables ! À l'usage, elles peuvent toutefois revenir chères…
Leur efficacité ? Elle est bonne mais moindre que celle des bouteilles en acier (voir notre test en p. 12). Selon les fabricants, elles gardent les liquides froids pendant 24 heures et les liquides chauds pendant 8 à 10 heures.
Leur coût ? Entre 7 $ et 15 $ selon le format (entre 235 ml et 1 l) et les particularités de chacune (présence ou non de 1 ou 2 tasses à servir, d'un espace de rangement dans le bouchon ou dans la base pour la crème et le sucre, etc.). Fait à noter : le coût d'une ampoule de remplacement varie de 6,50 $ à 9 $. Dans certains cas, c'est plus de 50 % du coût de la bouteille complète !
Pour qui ? Les grands, étant donné leur fragilité.

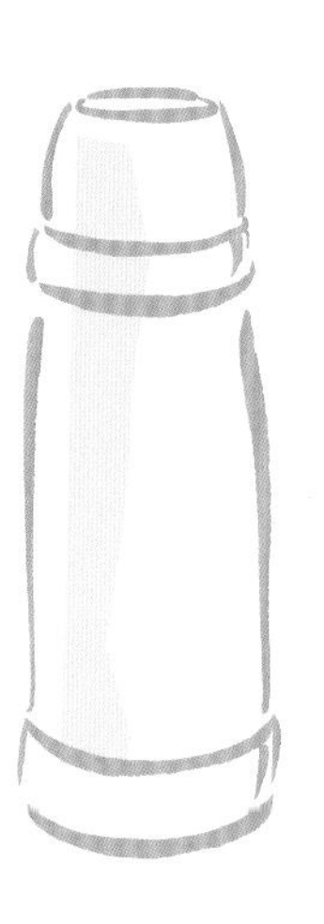

LES BOUTEILLES EN ACIER

Le *nec plus ultra* du thermos ! Leurs parois extérieure (la coquille) et intérieure (l'ampoule) sont faites d'acier inoxydable et isolées sous vide.

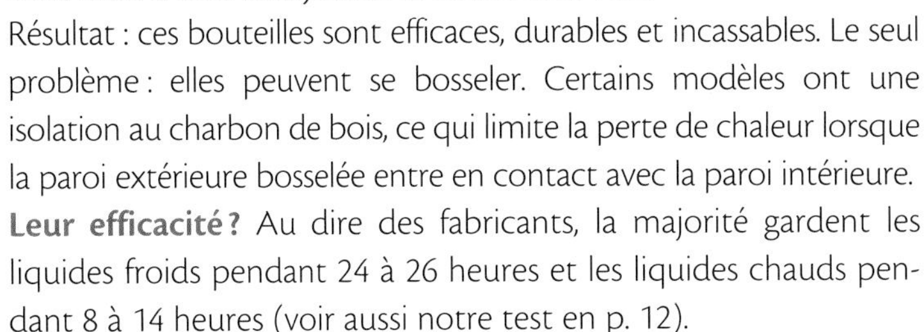

Résultat : ces bouteilles sont efficaces, durables et incassables. Le seul problème : elles peuvent se bosseler. Certains modèles ont une isolation au charbon de bois, ce qui limite la perte de chaleur lorsque la paroi extérieure bosselée entre en contact avec la paroi intérieure.
Leur efficacité ? Au dire des fabricants, la majorité gardent les liquides froids pendant 24 à 26 heures et les liquides chauds pendant 8 à 14 heures (voir aussi notre test en p. 12).
Leur coût ? Entre 15 $ et 40 $ selon le format (entre 450 ml et 1,2 l) et les particularités de chacune (présence ou non d'une poignée, d'une courroie, etc.).
Pour qui ? Surtout les adultes, étant donné leur coût élevé, et en particulier pour le travail ou les loisirs extérieurs.

Pour une efficacité maximale

Refroidir ou réchauffer la bouteille avant de l'utiliser. Il suffit de la remplir d'eau glacée ou d'eau bouillante, de mettre le couvercle en place, d'attendre 5 à 10 minutes puis de vider la bouteille. On verse ensuite la boisson ou l'aliment à transporter en s'assurant qu'il est aussi froid ou chaud que possible. Autre possibilité pour les aliments froids : on peut laisser refroidir la bouteille au réfrigérateur, ouverte et vide, pendant la nuit puis, au matin, y verser le contenu bien froid.

NOUS LES AVONS TESTÉES!

Ce petit test maison sans prétention donne une idée de l'efficacité relative des bouteilles isolantes que nous venons de décrire. On y observe en particulier que les bouteilles en acier sont nettement supérieures et que les bouteilles en plastique sont plus efficaces pour maintenir la température des aliments froids que celle des aliments chauds.

TEST DU CHAUD

Types de bouteilles	Temp. initiale à 7 h	Temp. à 12 h	Temp. à 17 h
Plastique (250 ml)	93 °C (199 °F)	40 °C (104 °F)	29 °C (84 °F)
Ampoule de verre (460 ml)	93 °C (199 °F)	65 °C (149 °F)	48 °C (118 °F)
Acier (470 ml)	93 °C (199 °F)	78 °C (172 °F)	70 °C (158 °F)

TEST DU FROID

Types de bouteilles	Temp. initiale à 7 h	Temp. à 12 h	Temp. à 17 h
Plastique (250 ml)	4 °C (39 °F)	14 °C (57 °F)	17 °C (63 °F)
Ampoule de verre (460 ml)	4 °C (39 °F)	12 °C (54 °F)	15 °C (59 °F)
Acier (470 ml)	4 °C (39 °F)	8 °C (46 °F)	9 °C (48 °F)

À noter : nous avons utilisé pour ces tests des bouteilles isolantes à petit goulot que nous avons d'abord refroidies ou réchauffées de la façon suggérée en p. 11.

Pas de boissons gazeuses!

Elles peuvent causer des fuites de liquide ou faire sauter carrément le bouchon de la bouteille! Et de toute façon, elles n'apportent rien de vraiment nutritif...

L'entretien

Après chaque utilisation : laver la bouteille (ne pas oublier les sillons du goulot), le bouchon et la tasse à la main en utilisant de l'eau chaude savonneuse, puis bien rincer à l'eau chaude. Assécher avec une serviette douce ou laisser sécher à l'air. Puis ranger sans mettre le bouchon ni la tasse, pour bien aérer. Ne pas plonger entièrement la bouteille dans l'eau ni, sauf indication contraire sur l'étiquette, la mettre au lave-vaisselle, car elle n'est pas suffisamment étanche.
Une fois par semaine : laver en utilisant de l'eau additionnée d'un peu de bicarbonate de sodium pour éliminer les mauvaises odeurs.

Les contenants en plastique réutilisables

Ils sont ronds, carrés, rectangulaires, ovales ou cylindriques, de toutes les tailles et de toutes les couleurs! Avec leurs couvercles hermétiques, ils sont pratiques pour transporter les aliments froids et, s'ils vont au micro-ondes, pour les réchauffer au besoin à l'heure du repas. En prime, comme ils sont réutilisables, ils nous font économiser des sacs à sandwichs, du papier ciré et de la pellicule de plastique. Un plus pour le porte-monnaie et l'environnement!

LA BOÎTE À JUS

Pratique pour les boissons froides, on peut la remplir et la congeler la veille, à condition de prévoir un petit espace de tête pour permettre l'expansion du liquide. Tout en dégelant, elle servira de réfrigérant pour maintenir au frais les autres aliments de la boîte à lunch. **Son coût?** Environ 2,25 $ et 3,25 $ pour les formats de 250 ml et de 500 ml respectivement.

LE PETIT CARRÉ OU RECTANGULAIRE (500 ML OU MOINS)

À utiliser pour une tartine, une tranche de gâteau, des crudités, un morceau de poulet cuit, un œuf dur ou une petite portion de salade ou de pâtes. **Son coût ?** Entre 1,50 $ et 3 $ selon le format.

LE GRAND CARRÉ OU RECTANGULAIRE (500 ML À 1 L ENVIRON)

Parfait pour les sandwichs (1 ou 2 selon la capacité), une salade verte ou un plat cuisiné froid.
Son coût? Entre 2 $ et 5 $ selon le format.

LE PETIT ROND (500 ML OU MOINS)

Pratique pour un fruit fragile (poire, pêche, kiwi ou autre), une salade de fruits, un pouding, un yogourt, un muffin, un œuf dur, une soupe, une salade ou un plat cuisiné froid. Le petit format de 118 ml est tout indiqué pour une sauce à salade, une vinaigrette, une tartinade, une trempette ou un coulis. **Son coût?** Entre 1 $ et 4 $ selon le format.

LE GRAND ROND (500 ML À 1 L ENVIRON)

Idéal pour une salade verte, une salade-repas ou un plat cuisiné froid. **Son coût?** Entre 2,50 $ et 4 $ selon le format.

LE GARDE-SANDWICH/COLLATION (1,4 L)

Il accommode un sandwich dans sa partie inférieure et, dans sa partie supérieure, des crudités, une boîte de jus de légumes avec un œuf dur ou un muffin. Et le repas est servi! **Son coût?** Environ 5 $.

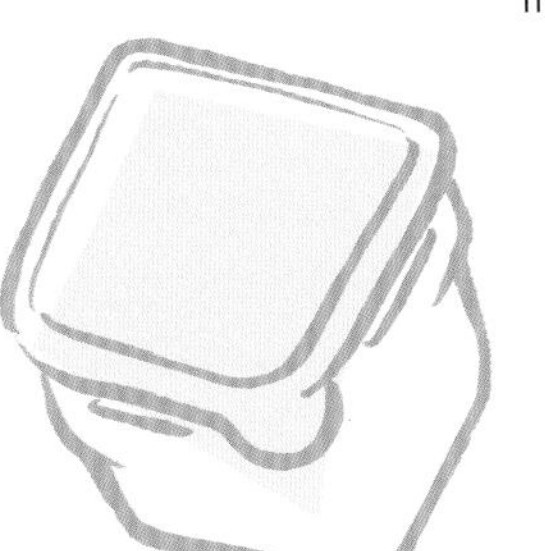

Idée fraîcheur !

Pour maintenir la fraîcheur des mets froids (soupes, sandwichs, salades, plats cuisinés, yogourt et autres) durant leur transport, les placer contre un contenant réfrigérant congelé.

Et le micro-ondes?

La plupart des contenants en plastique vendus en magasin vont au micro-ondes (se fier à l'étiquette qui en fait alors mention). Au moment de les utiliser, s'assurer d'entrouvrir le contenant pour laisser s'échapper la vapeur. Éviter d'y réchauffer des aliments qui ont un contenu élevé en gras, en sucre ou en tomate (la fameuse sauce à spaghetti, par exemple) afin de prévenir les taches permanentes ou les boursouflures. Enfin, il est déconseillé d'utiliser les contenants en plastique au four conventionnel, sur la cuisinière ou sur le gril.

D'autre part, les contenants vides de yogourt, de margarine, de fromage cottage, etc., ne sont pas recommandés pour réchauffer les aliments au micro-ondes. Sous l'action de la chaleur dégagée par l'aliment (et en particulier un aliment riche en huile ou en gras), le plastique peut se dégrader et libérer des substances toxiques.

L'entretien

Plusieurs contenants en plastique réutilisables vont au lave-vaisselle (pour s'en assurer, consulter l'étiquette). Sinon, les laver à l'eau chaude savonneuse puis bien les rincer à l'eau chaude.

Les contenants en plastique jetables

Il s'agit d'une nouvelle génération de contenants en plastique avec couvercles. Ils sont offerts en formats variés et vont au congélateur, au micro-ondes et au lave-vaisselle. Leur particularité? Ils sont suffisamment résistants pour qu'on les réutilise plusieurs fois, mais plus minces et donc moins durables que les contenants en plastique traditionnels.

Leur coût? Il est plus bas que celui des contenants en plastique traditionnels, soit environ 3,50 $ pour 4 à 6 contenants selon le format (entre 235 ml et 950 ml).

Pour qui? Ils sont idéals pour les enfants... et les grands qui ne veulent plus s'inquiéter de perdre ou d'abîmer des contenants de prix élevés.

Les accessoires complémentaires

LES PELLICULES D'EMBALLAGE

Le papier ciré, le papier d'aluminium, la pellicule de plastique et les sacs à sandwichs occupent moins d'espace dans la boîte à lunch que les contenants en plastique ou les bouteilles isolantes. Et nul besoin de les rapporter à la maison. De plus, les aliments qui sont rangés dans la pellicule ou les sacs en plastique sont facilement repérables par les tout-petits.

Ces produits d'emballage conviennent bien pour les crudités, les fruits frais ou séchés, les noix, la tartine de pain, le muffin et, à condition de prévoir un contenant réfrigérant dans la boîte, un sandwich, un morceau de fromage ou une autre denrée périssable. Mais ils sont moins appropriés pour les aliments mous ou fragiles, surtout lorsque la boîte à lunch est souple ou qu'elle renferme une bouteille isolante, une canette ou un autre objet dur. Autre inconvénient à considérer : ces pellicules à usage unique gonflent inutilement le sac à ordures...

LES EMBALLAGES D'ALIMENTS VIDES

Les sacs de lait, les sacs de fruits et légumes frais, les pots à épices, les pots de nourriture pour bébé, les minipots de confiture et les petites bouteilles d'eau ou de jus peuvent être réutilisés, une fois lavés et asséchés. Mais ils ne sont pas conçus pour le micro-ondes. Et attention aux contenants de verre, qui sont cassables. Quant aux sacs de pain vides, ils ne sont pas recommandés pour envelopper les aliments car l'encre qu'ils contiennent peut s'effriter et contaminer le contenu. Enfin, comme les sacs en papier brun ne sont pas lavables, on ne les utilise qu'une seule fois.

LES USTENSILES

Manger avec des ustensiles en métal de préférence aux ustensiles en plastique, c'est tellement meilleur ! Bien sûr, on peut les perdre. Mais qui ne dispose pas dans sa cuisine de quelques vieux ustensiles dépareillés ? Pour quelques dollars, on peut aussi se procurer à l'unité des ustensiles en métal bon marché dans les grands magasins. Ou des ustensiles en plastique de bonne qualité que l'on pourra passer au lave-vaisselle et réutiliser.

LA SERVIETTE DE TABLE

Elle peut envelopper les ustensiles, un fruit fragile ou le thermos de verre, ou cacher une surprise, un billet doux… Contrairement à la serviette en papier, la serviette en tissu lavable a l'avantage d'être réutilisable.

LA SERVIETTE HUMIDE

Une serviette humide jetable ou une débarbouillette mouillée placée dans un sachet en plastique fera merveille pour nettoyer frimousses et menottes collantes.

Les contenants réfrigérants

Les briquettes et les sachets réfrigérants sont conçus pour maintenir les aliments froids pendant une période de 4 à 6 heures. Il est déconseillé de les chauffer au micro-ondes ou autrement. Certaines briquettes sont vendues vides et doivent être remplies d'eau avant emploi, alors que d'autres renferment un liquide non toxique réutilisable. À noter : une fois congelés, certains aliments du repas (boîte de jus, berlingot de lait, yogourt en tube, muffin ou autres) peuvent aussi servir de réfrigérants. Leur avantage : ils font gagner de l'espace et n'ont pas besoin d'être rapportés à la maison !

Comment les utiliser ? Les mettre au congélateur la veille ou de 6 à 10 heures avant leur utilisation et les glisser le matin même dans la boîte à lunch. Pour de meilleurs résultats, les placer *sur* les aliments (car le froid descend et la chaleur monte) qu'on aura d'abord refroidis au frigo. **Leur coût ?** 1,40 $ ou plus selon le format.

Les boîtes et sacs à lunch

Ils sont nombreux à faire leur frais! On en trouve en nylon, en vinyle, en plastique rigide ou en métal, de tous les formats, couleurs et styles imaginables! Ils ferment à velcro, à fermeture éclair ou à loquets. La plupart sont munis d'une poignée, plusieurs d'une bandoulière, d'autres encore de courroies pour se fixer au vélo ou à la taille. Certains offrent en prime une miniglacière (pour la canette ou la boîte de jus) ou un petit sac réfrigérant.

Leur coût? La plupart des modèles coûtent moins de 15 $. Et ils valent amplement l'investissement quand on pense aux économies qu'ils peuvent nous faire réaliser.

Les qualités à rechercher? Bien sûr, on la veut attrayante. Mais gardons en tête que la mission première d'une boîte (ou d'un sac) à lunch est de mener nos repas à bon port. D'où l'importance de s'assurer que notre véhicule de transport est...

- **durable :** il aura peut-être à subir bien des secousses et des intempéries;
- **suffisamment rigide :** rien de plus désagréable qu'un sandwich aplati, un muffin en miettes ou un fruit frais réduit en compote;
- **de format adéquat :** ni trop grand pour être inutilement lourd et encombrant, ni trop petit pour limiter la quantité et la variété d'aliments;
- **suffisamment léger :** en particulier pour le petit avec qui il prendra la route chaque matin;
- **facile à nettoyer :** on devrait pouvoir atteindre chaque petit recoin.

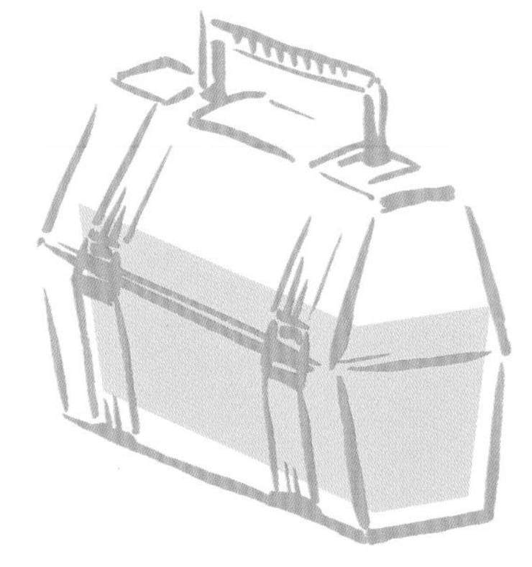

LA TRADITIONNELLE

En plastique rigide ou en métal, cette boîte est pourvue de deux sections superposées réunies par des charnières et des loquets. La section supérieure munie d'une poignée est conçue pour accueillir une bouteille isolante. C'est un grand classique, de construction robuste et durable, et facile à nettoyer. Logeable, cette boîte est tout indiquée pour ceux qui ont bon appétit et ceux qui aiment manger chaud (on peut facilement y ranger deux bouteilles isolantes). De fait, c'est un choix prisé des travailleurs manuels.

Ses dimensions? 32 x 22 x 15 cm (le grand format) et 28 x 22 x 13 cm (le format courant). **Ce qu'elle peut contenir? (le grand format) Dans la section du haut :** une bouteille isolante (460 ml) pour la boisson et un petit contenant de plastique rond (235 ml) pour le lait, le sucre ou le sachet de thé ou de tisane. **Dans la section du bas :** une bouteille isolante (470 ml) pour le mets chaud, un sandwich, un sachet de crudités, une petite bouteille isolante ronde (235 ml) pour le dessert et une banane. **Son coût?** Environ 10 $ le grand format et 8 $ le format courant.

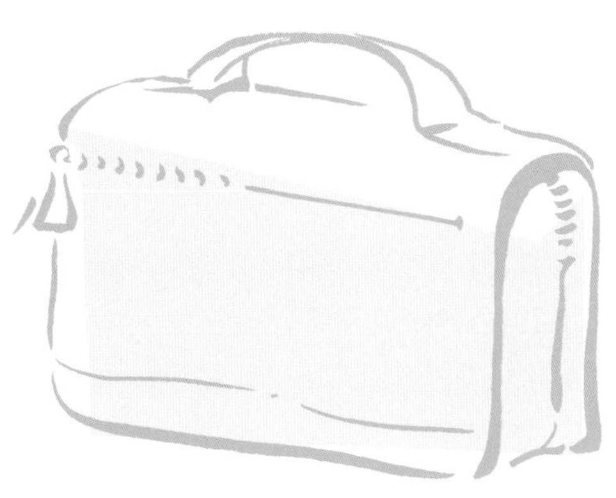

LA MINIMALLETTE

Parfaite pour le bureau ! L'extérieur est en nylon et l'intérieur en vinyle facile à nettoyer. Elle est rectangulaire, plutôt mince et assez rigide. À l'intérieur, des courroies à velcro servent à tenir les contenants en place. On peut y coucher une canette ou une boîte de jus, mais la plupart des bouteilles isolantes n'y entrent pas. **Ses dimensions ?** 29 x 22 x 8 cm.
Ce qu'elle peut contenir ? Une boîte de jus (236 ml), un contenant en plastique rectangulaire (709 ml) pour la salade, un sandwich, un sachet de crudités et un petit yogourt. **Son coût ?** Environ 13 $.

LE SAC-COLLATION

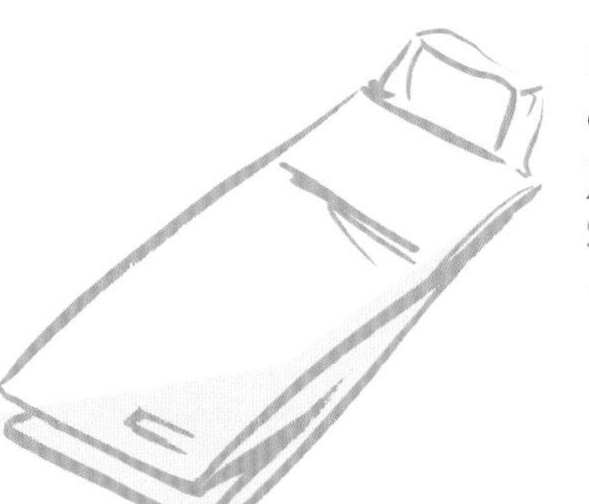

Fait en nylon, il a une doublure en vinyle étanche et facile à nettoyer. On replie le haut deux fois puis on fixe la sangle à fermeture à velcro. Il remplace avantageusement le traditionnel sac en papier brun jetable, mais il convient surtout pour un goûter car il est peu logeable et généralement peu isolé.
Ses dimensions ? 24 x 18 x 12 cm. **Ce qu'elle peut contenir ?** Une boîte de jus (236 ml), un petit contenant en plastique rond (235 ml) pour un œuf dur ou une petite portion de salade, un petit yogourt, un petit muffin et une banane. **Son coût ?** Environ 5 $.

LA BOÎTE RIGIDE

Un classique de format compact muni d'une poignée et d'une sangle pour l'épaule. Cette boîte est également pourvue d'une fermeture éclair sur trois côtés et, à l'intérieur, d'un compartiment unique en plastique rigide facile à nettoyer. **Ses dimensions ?** 27 x 20 x 11 cm. **Ce qu'elle peut contenir ?** Une bouteille isolante (250 ml) pour la boisson, un sandwich, un sachet de crudités, un petit contenant en plastique rond (235 ml) pour un œuf dur ou une petite portion de salade, un petit muffin et un petit yogourt. **Son coût ?** Environ 13 $.

LE SAC PLIABLE

Un extérieur en nylon, une doublure en vinyle d'entretien facile et entre les deux, une isolation thermique. Ce sac est pourvu d'une poignée et d'une fermeture à velcro. Il s'aplatit pour se glisser dans le sac à dos, ce qui en fait un choix moins adapté pour les aliments fragiles. **Ses dimensions ?** 25 x 18 x 10 cm. **Ce qu'elle peut contenir ?** Une boîte de jus (236 ml), un petit contenant en plastique rond (235 ml) pour un œuf dur ou une petite portion de salade, un petit yogourt, un petit muffin et une banane. **Son coût ?** Environ 7 $.

LA BOÎTE DES PETITS

Elle affiche les idoles de nos enfants, d'où sa popularité. Elle est en plastique rigide et comprend généralement une bouteille isolante assortie en plastique. **Ses dimensions ?** 22 x 18 x 9 cm. **Ce qu'elle peut contenir ?** Une bouteille isolante (250 ml, comprise avec la boîte) pour la boisson, un sandwich, un sachet de crudités, une banane et un petit muffin. **Son coût ?** Environ 10 $.

LE SAC À DEUX SECTIONS

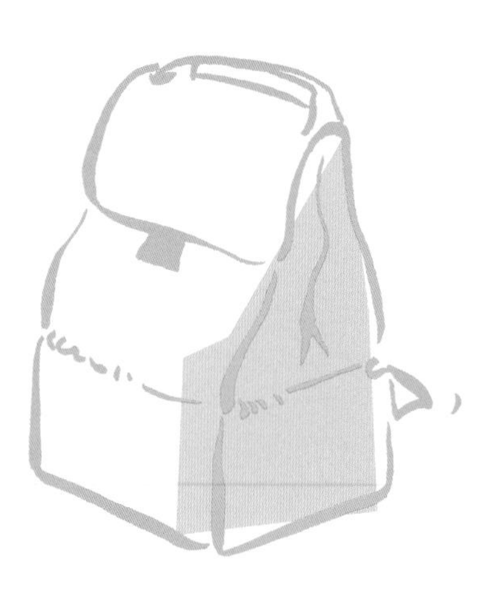

Il est composé de deux compartiments superposés et séparés. Celui du bas s'ouvre par une fermeture éclair sur trois côtés; il est pourvu d'un contenant en plastique rigide facile à nettoyer et est idéal pour un sandwich ou un autre aliment fragile. Ce sac est muni d'une poignée, d'une fermeture avant à velcro et offre une bonne isolation thermique.
Ses dimensions ? 27 x 18 x 14 cm. **Ce qu'il peut contenir ? Dans la section du haut :** une boîte de jus (236 ml), un petit yogourt, un petit muffin et une banane. **Dans la section du bas :** un sandwich et un sachet de crudités. **Son coût ?** Environ 10 $.

L'entretien

Après chaque utilisation, bien laver l'extérieur et l'intérieur du sac ou de la boîte à lunch à l'eau chaude savonneuse. N'oublier aucun petit coin ni repli ! Rincer, assécher et laisser aérer toute la nuit. Ne pas mettre à la machine à laver.

Chapitre 2
Le calendrier de la semaine

Vous en avez assez des sempiternels sandwichs au jambon préparés en vitesse sur le coin de la table? Des restants de la veille servis à la même sauce, jour après jour? Ou des simili-repas liquides ou en barres saisis au vol avant de filer? Rassurez-vous! On peut préparer 365 jours par année un lunch beau, bon, pas cher et prêt à partir en même temps que la mallette ou le sac à dos. Il suffit d'être un brin organisé et discipliné. Pour vous aider, voici quelques tâches simples à effectuer à différents moments de la semaine.

Une fois par semaine ou moins

Se laisser inspirer. Feuilleter des livres de recettes (comme celui-ci!) et des magazines à la recherche de recettes et de menus attrayants. À l'aide d'onglets ou d'un surligneur, marquer les trouvailles ou les découper pour les placer dans une chemise à idées. L'heure du repas en famille est également un bon moment pour solliciter les suggestions de chacun. Enfin, lors des visites hebdomadaires au marché, ouvrir l'œil pour dénicher les primeurs (produits nouveaux, fruits, légumes et poissons frais) qui agrémenteront les menus.

Planifier le menu. Élaborer la liste des lunchs de la semaine, ou de plusieurs semaines, à utiliser en rotation tout au long de l'année. Les plus méthodiques y noteront tous les aliments des différents repas, de l'entrée au dessert, en tenant compte des surplus des repas précédents. Les autres pourront se satisfaire des plats principaux pour deux ou trois jours de semaine. À chacun son style et sa manière, l'important étant d'abord de se simplifier la vie!

Prévoir de bonnes réserves. Le fait de tenir dans le garde-manger, le réfrigérateur et le congélateur une variété d'aliments à la fois nutritifs et rapides à préparer (voir la liste pages suivantes) permet bien des raccourcis lors de la préparation des recettes et des repas. Même si plusieurs de ces économiseurs de temps (surtout ceux en formats individuels) coûtent plus cher, ils vous dépanneront au moment d'improviser du tout au tout un lunch de dernière minute, ou encore simplement pour compléter un bon repas maison.

Dresser la liste d'achat. Au moment de dresser la liste d'épicerie hebdomadaire, penser à inclure les aliments qui entreront dans la composition des lunchs.

LES STOCKS À MAINTENIR

Voici une liste d'aliments de base à garder sous la main en prévision des boîtes à lunch mais aussi de la plupart des autres repas de la semaine. Avec ces aliments clés, on est rarement pris au dépourvu!

GARDE-MANGER OU COMPTOIR				
Fruits et légumes	**Produits céréaliers**	**Produits laitiers**	**Viandes et substituts**	**Autres aliments**
Fruits frais (bananes, oranges, pommes, cantaloup)	Pains variés (pitas, tortillas, bagels, muffins anglais, pain en tranches)	Lait en boîte Tetra Pak, lait écrémé en poudre et lait évaporé en conserve	Viande et volaille (jambon, poulet) en conserve	Soupes-crèmes en conserve
Fruits en conserve (ananas, pêches, poires, salade de fruits, compote de pommes, purée de citrouille)	Craquelins et biscottes	Poudings au lait prêts à manger	Poisson (thon, saumon, crevettes) en conserve	Bouillons (légumes, poulet, bœuf) concentrés, déshydratés ou en boîte Tetra Pak
Fruits séchés (dattes, raisins secs, canneberges, abricots)	Céréales prêtes à servir (flocons de maïs) et gruau		Œufs liquides en boîte Tetra Pak	Sauce soja, mayonnaise, moutarde de Dijon, ketchup et salsa
Légumes frais (pommes de terre, tomates, oignons)	Couscous, boulghour, orge, riz (blanc converti, brun) et pâtes (spaghetti, macaroni, penne)		Arachides, noix (amandes, pignons) et graines (tournesol, citrouille, sésame)	Huiles (olive, canola, sésame)
Légumes en conserve (tomates entières et en dés, champignons, petits pois, maïs, macédoine, haricots)	Barres de céréales et biscuits (figues, dattes, gruau)		Beurre d'arachide	Vinaigres (blanc, vin rouge, balsamique)
Jus de fruits ou de légumes en boîte Tetra Pak	Muffins et pains (bananes, fruits, noix)		Légumineuses (haricots rouges, haricots noirs, lentilles, pois chiches) en conserve	Herbes et épices (ail, poivre, persil, origan, basilic, thym, estragon, gingembre, cumin, moutarde sèche)
Sauce et pâte de tomate en conserve	Farine (blanche, blé entier)		Plats de légumineuses (salade, fèves en sauce tomate, chili) en conserve	Sucre, cassonade, sirop, confiture, miel et mélasse
Tomates séchées en pot	Chapelure		Soupes-repas (pois, lentilles, minestrone) en conserve	Essence (vanille, amande)
			Sauce spaghetti en pot	Fécule de maïs
				Son et germe de blé
				Gélatine sans saveur
				Poudre de cacao

LES STOCKS À MAINTENIR

RÉFRIGÉRATEUR

Fruits et légumes	Produits céréaliers	Produits laitiers	Viandes et substituts	Autres aliments
Fruits frais (kiwis, poires, raisins) Légumes frais (brocoli, carottes, chou-fleur, poivrons vert et rouge, céleri, oignons verts, courgettes, champignons) Crudités lavées et coupées (chou râpé, carottes miniatures, laitue romaine, épinards) Jus (légumes, fruits, tomate, citron) Ail haché en pot	Pâte à pizza du commerce	Lait 1 % ou écrémé Yogourt 1 % ou écrémé (nature, aux fruits) Fromage (cheddar, mozzarella, parmesan, cottage, ricotta) en tranches et râpé Trempettes pour légumes	Viande et volaille (bœuf, porc, veau, poulet, dindon) fraîches, désossées (bœuf haché, rôtis, languettes, escalopes) Viande et volaille (bœuf, jambon, porc, veau, poulet, dindon) cuites (rôtis, tranches) Œufs frais et cuits durs Végé-pâté et tartinade de pois chiches (hoummos) Plats végétariens commerciaux (lasagne, tourtière de millet, quiche au poireau)	Margarine molle, beurre

CONGÉLATEUR

Fruits et légumes	Produits céréaliers	Viandes et substituts
Fruits surgelés (fraises, framboises, bleuets) Légumes surgelés (épinards, petits pois, maïs, brocoli, mélanges)	Pains variés (pitas, tortillas, bagels, muffins anglais, pain en tranches) Muffins et pains (bananes, fruits, noix) en tranches Pâtes farcies (tortellini, ravioli) surgelées	Filets de poisson surgelés Mets cuisinés maison en portions individuelles Repas surgelés santé (voir chapitre 6) Sauce spaghetti maison

Cuisiner en grand. Pour à peu près le même temps et la même quantité de vaisselle à laver, pourquoi ne pas doubler ou tripler les recettes à préparer ? Soupes, lasagnes, pâtés chinois, bouillis : garder la quantité nécessaire pour le repas du jour, puis diviser le surplus en portions individuelles et mettre dans des plats en plastique pour micro-ondes. Étiqueter (nom du mets, date de préparation), congeler et voilà une variété de petits plats cuisinés maison prêts à emporter et à réchauffer ! Autre truc : au souper, préparer un peu plus de viande, de légumes, de salade, de pâtes ou de riz que nécessaire. Le lendemain, le riz et le bœuf se métamorphoseront en riz chinois et les pâtes et les légumes serviront de base à une délicieuse salade froide.

Faire une corvée de sandwichs ou de garnitures à sandwichs. Une bonne façon d'occuper la marmaille un dimanche après-midi de pluie ! Il s'agit de préparer une variété de sandwichs ou de garnitures à sandwichs en évitant les ingrédients qui ne se congèlent pas (voir la liste plus bas). Glisser ensuite les sandwichs dans des sacs ou des contenants en plastique à sandwich, étiqueter (en inscrivant s'il y a lieu à qui ils appartiennent !) et congeler. Quant aux garnitures, en remplir des bacs à glaçons et mettre au congélateur. Une fois bien gelés, transférer les cubes de garnitures dans des sacs à congélation étiquetés. Les sandwichs et les garnitures à sandwichs se conservent 1 ou 2 jours au réfrigérateur et 6 semaines au congélateur.

Les aliments qui ne se congèlent pas

Certains fruits frais (cantaloup, melon miel, melon d'eau, raisins)
Certains légumes frais (tomates, céleri, concombre, germes, laitues, radis)
Yogourt maison
Certains fromages (brie, camembert, cottage, ricotta, fromage fondu à tartiner, fromage à la crème)
Poudings au lait et gélatines
Œufs durs (entiers, blancs d'œufs)
Mayonnaise, moutarde, ketchup, marinades
Conserves

Préparer des crudités. La meilleure façon de ne pas oublier ses « veggies », c'est d'en avoir tout prêts, tout près ! Un bon truc : laver, égoutter et couper une bonne quantité de légumes crus (tomates cerises, bâtonnets de carotte, bouquets de brocoli et de chou-fleur, lanières de poivron et autres) en prévision des lunchs de la semaine. Les répartir dans des sachets en plastique ou les mettre dans un contenant en plastique bien fermé, sans eau. Réfrigérer. Le matin, chacun choisit un sachet de crudités, un sandwich, une boisson et un fruit, et le lunch est prêt ! Pour gagner du temps, on peut se procurer au supermarché une variété de crudités et de laitues prêtes à manger (lavées et coupées) en sac.

La veille

Préparer tout ce qui peut l'être et emballer hermétiquement : plats cuisinés, sandwichs (sans laitue ni mayonnaise), œufs durs, fromage, noix, pain beurré, bouteilles isolantes de lait, de jus ou de dessert froid (yogourt, pouding au lait, salade de fruits, gélatine), sachets de crudités, fruits frais ou séchés, bases de salades (laitues déchiquetées, crudités lavées, poulet, jambon, poisson ou fromage coupés en morceaux), petit pot de mayonnaise ou de vinaigrette ou autres.

Réfrigérer. Le fait de refroidir à fond les aliments, même les non-périssables comme les boîtes de jus, les sandwichs au beurre d'arachide, les muffins et les fruits, permettra le lendemain de maintenir tout le contenu de la boîte à lunch froid plus longtemps.

Congeler. En particulier les cartons de jus ou de lait et les yogourts individuels. En les sortant le lendemain matin du congélateur, ils feront office de contenants réfrigérants (sans en prendre la place), tout en dégelant pour se transformer en boisson ou en aliment nutritif à l'heure du repas. Et s'ils n'ont pas eu le temps de dégeler complètement ? Écraser le contenu avec les doigts, couper le dessus

LES ALIMENTS QUI SE CONGÈLENT

	Durée de congélation recommandée
Fruits et légumes	
Fruits frais (sauf cantaloup, melon miel, melon d'eau, raisins)	1 an
Légumes frais (sauf tomates, céleri, concombre, germes, laitues, radis)	1 an
Jus (fruits, légumes)	1 an
Produits céréaliers	
Pain (entier, en tranches)	3 mois
Biscuits, gâteaux et muffins	3 mois
Pâtes cuites	3 mois
Riz cuit	6-8 mois
Produits laitiers	
Lait	6 semaines
Yogourt commercial	1 mois
Fromage (sauf brie, camembert, cottage, ricotta, fromage fondu à tartiner, fromage à la crème)	6 mois
Viandes et substituts	
Viande fraîche (hachée, en cubes, en tranches)	3-4 mois
Viande fraîche (côtelettes, rôtis)	4-6 mois
Viande cuite (sans sauce)	2-3 mois
Viande cuite (avec sauce)	4 mois
Volaille fraîche (morceaux)	6-9 mois
Volaille fraîche (entière)	10-12 mois
Volaille cuite (sans sauce)	1-3 mois
Volaille cuite (avec sauce)	6 mois
Jambon cuit (entier, en tranches), charcuterie	1-2 mois
Poisson gras (saumon, truite, maquereau)	2 mois
Poisson maigre (aiglefin, goberge, morue, plie)	6 mois
Mets cuisinés	3 mois
Sandwichs et garnitures à sandwichs	6 semaines
Jaunes d'œufs durs	1 mois
Noix	1 an
Beurre d'arachide	6 mois
Tofu	1-2 mois
Légumineuses cuites	3 mois
Autres aliments	
Soupes	2-3 mois
Beurre doux	3 mois
Beurre salé	1 an
Margarine	3 mois

À noter : **on ne peut pas recongeler un aliment complètement décongelé sans risque de contamination.**

Adapté de : Ministère de l'Agriculture, des Pêcheries et de l'Alimentation du Québec. *Frais c'est meilleur! Durée d'entreposage des aliments périssables*, 1998.

de l'emballage et déguster à la cuillère en guise de sorbet! Les enfants en redemanderont...

Sortir les mets cuisinés congelés (sauf les sandwichs, qui dégèlent rapidement) du congélateur et les mettre au réfrigérateur. Ils commenceront dès lors à décongeler.

Le matin même

Terminer la préparation des salades. Combiner les ingrédients préparés la veille (laitues, crudités, œufs durs, poulet, poisson ou autres ingrédients coupés en morceaux). Pour maintenir davantage le croquant des salades, la vinaigrette et la mayonnaise peuvent être emportées dans un petit contenant (la petite bouteille à pilules convient très bien et sa grosseur est largement suffisante!) et ajoutées au moment du repas seulement.

Remplir les bouteilles isolantes.

- **Pour les boissons ou les mets chauds.** Pour une efficacité maximale, préchauffer la bouteille. La remplir d'eau bouillante, placer le bouchon et laisser reposer 5 à 10 minutes. Pendant ce temps, réchauffer les mets cuisinés au four à micro-ondes ou sur la cuisinière (à moins d'avoir accès à un micro-ondes au moment du repas) et préparer les boissons chaudes (café, chocolat chaud, eau chaude pour le thé ou la tisane). Vider la bouteille de l'eau bouillante, y verser le contenu chaud et visser le bouchon et le gobelet.

- **Pour les boissons ou les mets froids.** Refroidir d'abord la bouteille en la remplissant d'eau glacée. Attendre 5 à 10 minutes. Vider la bouteille, puis la remplir de la boisson ou du mets froid (lait, jus, salade de fruits ou de légumes, gélatine, dessert au lait, repas cuisiné ou autres), puis visser le bouchon et le gobelet.

Sortir du congélateur les sandwichs, les muffins et les boîtes de lait ou de jus.

Sortir du réfrigérateur les bouteilles isolantes et les aliments qui y ont été placés la veille.

Ajouter la laitue et la mayonnaise aux sandwichs.

Assembler la boîte à lunch. Pour éviter d'en sortir un sandwich aplati ou une poire en compote, s'assurer de placer les aliments les plus lourds ou les plus durs (le contenant à sandwich ou la boîte de fruits, par exemple) au fond du sac ou de la boîte. Puis mettre les aliments les plus légers ou les plus fragiles (comme les fruits entiers ou le sac à sandwich) sur le dessus.

Ajouter un ou deux contenants réfrigérants (*ice packs*) si on n'a pas prévu de boîtes de lait ou de jus congelées. Les placer contre les aliments périssables (cartons de lait, sandwichs, salades, mets cuisinés froids). Ils maintiendront les aliments bien frais pour une période de 4 à 6 heures.

À ne pas oublier : les ustensiles, la serviette de table, le napperon, le sachet de thé ou de tisane, le décapsuleur, l'ouvre-boîte, une serviette humide, la brosse à dents ou une gomme à mâcher et, histoire de stimuler l'appétit et la digestion, un billet doux ou une petite surprise...

Au travail ou à l'école

Éviter les sources de chaleur. Garder le lunch loin de la lumière directe ou des radiateurs, par exemple. Quant aux aliments périssables qui ne sont pas dans des boîtes à lunch ou des sacs isolants munis de contenants réfrigérants ou de bouteilles isolantes (mais dans un sac en papier brun, par exemple), les réfrigérer jusqu'à l'heure du repas.

Réchauffer au micro-ondes les mets à consommer chauds qui ont été transportés froids.

Au retour à la maison

Jeter tous les restes d'aliments périssables : sandwichs, salades, fromage, lait et autres. On peut toutefois garder sans problèmes les aliments non périssables qui n'ont pas été entamés (comme les poudings en coupe, les fruits entiers et les boîtes de jus ou de raisins secs).

Le soir

Nettoyer tout le matériel utilisé. Laver soigneusement avec un détergent et de l'eau chaude, rincer à fond, tourner à l'envers pour faire sécher, puis ranger en laissant les bouteilles isolantes (sans bouchon ni couvercle) et le sac à lunch ouverts pour qu'ils s'aèrent et ne gardent pas de mauvaise odeur. Pour plus de détails sur l'entretien, consulter le chapitre « On s'équipe ! » en p. 9.

LA PARFAITE COMBINE

Voici des suggestions de garnitures à sandwichs et de salades qui se préparent en un tournemain et se modifient au gré des goûts... et des aliments disponibles ! L'idéal pour redonner vie à un reste de viande, de volaille, de riz, de crudités, de pâtes, de pommes de terre ou autres. L'utilisation ici de yogourt nature, d'une vinaigrette sans gras, de moutarde, de fromage au lait écrémé ou de fromage à la crème ultrafaible en gras à la place des versions ordinaires de fromages, de sauce à salade, de mayonnaises et de vinaigrettes permet une économie significative de gras.

Garnitures à sandwichs

- Fromage à la crème, poivron rouge ou vert en dés, tomate en dés et ciboulette hachée
- Fromage à la crème, prosciutto haché, tomates sèches hachées, olives noires hachées et câpres
- Cottage, pomme en dés, poire en dés, graines de tournesol décortiquées et raisins de Corinthe
- Yogourt nature, fromage râpé, pomme râpée et noix hachées
- Yogourt nature avec carotte, concombre et poivron vert en dés
- Hoummos (trempette de pois chiches) du commerce, carotte râpée et courgette râpée
- Beurre d'arachide, dattes hachées et jus d'orange
- Pepperoni végétarien en lamelles, fromage râpé et moutarde douce ou forte
- Tofu écrasé, oignon rouge en dés, courgette râpée et tomates sèches hachées
- Œufs durs écrasés, persil haché, olives farcies hachées et mayonnaise
- Œufs durs écrasés, céleri haché, poivron rouge en dés, luzerne, oignon haché et mayonnaise
- Poulet cuit haché, salsa, maïs en grains et crème sure
- Poulet cuit haché, salsa, mangue, poivron rouge et crème sure
- Dindon cuit émincé, morceaux d'orange, oignon vert émincé et yogourt nature
- Rôti de bœuf en lamelles, cornichons sucrés ou surs et fromage à la crème
- Jambon haché, relish sucrée et fromage à la crème
- Thon émietté en boîte, poivron rouge en dés, céleri haché, oignon vert haché et yogourt nature
- Thon émietté en boîte, cornichons surs, céleri haché et mayonnaise
- Saumon émietté en boîte, saumon fumé haché, oignon haché, persil haché et jus de citron
- Avocat écrasé, crevettes en morceaux, jus de citron, laitue émincée et yogourt nature

Salades

Lorsqu'on doit servir la salade en guise de repas, ne pas oublier une source de protéines (fromage, viande, volaille, poisson, œufs, charcuteries végétariennes, noix, légumineuses ou tofu).

- Quartiers de tomate, feta émiettée, olives noires, oignon en rondelles et huile
- Chayotte en lamelles, crevettes cuites, graines de sésame, gingembre frais râpé, huile et jus de citron
- Épinards, œufs durs hachés, tomates en cubes, oignon haché, luzerne, prosciutto haché et yogourt nature
- Laitue romaine, avocat en lamelles, pamplemousse en sections, poivron rouge en dés et yogourt nature
- Laitue Boston, poires en cubes, poivron rouge en dés, fromage râpé, arachides hachées, huile et vinaigre balsamique
- Lentilles en conserve, tomates en dés, poivron vert en dés, carotte râpée, persil haché, huile et vinaigre de vin rouge
- Couscous, tomates en dés, persil haché, oignon vert haché, huile et jus de citron
- Petites pâtes cuites (rotini, macaroni, pennine), tofu en cubes, tomates cerises coupées en deux, asperges en morceaux, quartiers d'artichauts et vinaigrette épicée
- Boulghour, haricots rouges en conserve, oignon haché, poivron jaune en dés, courgette en dés, huile et vinaigre de cidre
- Riz brun, haricots noirs en conserve, maïs en grains, tomates en dés et sauce tomate épicée
- Petites pâtes cuites (rotini, macaroni, pennine), jambon en dés, brocoli en bouchées, fromage râpé, champignons en lamelles et mayonnaise
- Pommes de terre en gros morceaux, œufs durs hachés, olives noires hachées, filets d'anchois hachés, ciboulette émincée et yogourt nature
- Laitue émincée, poulet en cubes, raisins verts, melon en boules, céleri haché, amandes émincées et yogourt nature
- Tomates italiennes en tranches, viande, volaille ou poisson cuits en cubes, poivron vert en lanières, oignon en rondelles et vinaigrette italienne
- Carotte râpée, persil haché, raisins secs, pignons et vinaigrette au citron

Le coin lunch

À moins de vouloir faire son jogging le matin dans la cuisine, mieux vaut réunir dans un coin d'armoire tout le matériel nécessaire à la confection des lunchs : sacs et boîtes à lunch, bouteilles isolantes, pellicules d'emballage, contenants et sacs en plastique, napperons, pailles, ustensiles, serviettes de table, décapsuleur, ouvre-boîte, bloc-notes et crayon, petites bouteilles pour la vinaigrette et la mayonnaise, brosses à dents ou gommes à mâcher… Y ranger aussi certains aliments non périssables tels que boîtes de lait ou de jus, sachets de noix et de fruits séchés, fruits et poudings en boîte, barres de céréales, compotes de fruits et autres. On peut également réserver une section du réfrigérateur aux aliments des boîtes à lunch : yogourts individuels, ficelles de fromage, œufs durs, salades et autres. Une bonne façon, encore une fois, d'économiser de précieuses minutes.

Chapitre 3
Un lunch tout garni

Avoir le choix, ce n'est pas toujours facile! Alors comment s'assurer, lorsqu'on doit choisir tous les jours parmi un éventail d'aliments et de recettes, de retrouver chaque fois dans son assiette tout ce dont on a besoin? Simple comme 1, 2, 3!

---

1. Opter pour des aliments sains

Ces choix santé, on les retrouve dans les quatre groupes du *Guide alimentaire canadien pour manger sainement**. Pour les plus exigeants, voici le meilleur de chacun de ces groupes : nos options gagnantes.

LES FRUITS ET LÉGUMES

Les produits bien colorés. Plusieurs pigments qui donnent leur couleur aux fruits et aux légumes sont des « phytochimiques », qu'on appelle notamment « caroténoïdes », « flavonoïdes » ou « isoflavones ». La plupart agiraient comme antioxydants pour lutter contre le cancer, la maladie cardiaque et d'autres problèmes de santé. Une bonne raison de remplir son panier d'épicerie d'un arc-en-ciel de couleurs…

- **Rouge :** fraises, framboises, canneberges, tomates, melon d'eau, pamplemousses roses, goyaves.
- **Orange :** carottes, patates douces, citrouille, cantaloup, oranges.
- **Jaune :** maïs, courges, pamplemousses, citrons.
- **Vert :** épinards, chou cavalier, brocoli, choux de Bruxelles, pois verts, légumes verts feuillus (chou frisé, feuilles de moutarde et autres).
- **Bleu ou pourpre :** cerises, bleuets, raisins.
- **Et même blanc :** ail, oignons, poireaux.

Les produits entiers, de préférence avec la pelure. Ils contiennent davantage de fibres que les jus de fruits ou de légumes. Bien sûr, quand on pense « fibres », on pense « régularité » ! Mais les fibres font plus que stimuler les intestins paresseux : elles aident à prévenir ou à traiter de nombreux problèmes de santé comme la diverticulose, le diabète, la maladie cardiaque et le cancer. Et

---

* On peut se procurer gratuitement le *Guide alimentaire canadien pour manger sainement* en communiquant avec le CLSC de sa localité. Il est également possible de consulter ou d'imprimer le Guide à partir du site Web de Santé Canada à l'adresse www.hc-sc.gc.ca/hppb/la-nutrition.

comme elles apportent du volume (sans les calories!) et ralentissent la sortie des aliments de l'estomac, elles donnent une impression de satiété plus vite et plus longtemps, un atout pour la ligne.

Le cantaloup, les fraises, le brocoli et les autres bonnes sources de vitamine C. On devrait en inclure dans tous les repas, surtout dans ceux qui ne contiennent ni viande, ni volaille ni poisson. La vitamine C convertit le fer des aliments végétaux, plus difficile à assimiler que le fer animal, en une forme plus assimilable par l'organisme. Avec un apport en vitamine C inférieur à 75 mg (c'est la quantité contenue dans le quart d'un cantaloup, 1 tasse de jus de légumes, 1/2 poivron vert ou 4 choux de Bruxelles), on double presque la quantité de fer végétal qui sera absorbée. Alors qu'avec un apport plus élevé (l'équivalent de 2 kiwis, d'une tasse de brocoli ou de chou-fleur ou d'un grand verre de jus d'orange ou de jus de pomme enrichi), on triple cette quantité. Les recettes de ce livre qui affichent la mention « Excellente source de vitamine C » fournissent 30 mg ou plus de cette vitamine par portion.

LES PRODUITS CÉRÉALIERS

Les produits de grains entiers. Ils contiennent plus de minéraux (comme le magnésium, le potassium et le zinc), de phytochimiques et de fibres bienfaisantes que les produits raffinés. Quelques bons choix : le pain, les pâtes alimentaires et les produits de boulangerie faits à 100 % de blé entier, les flocons de blé entier, le gruau, l'orge mondé, le blé concassé et le riz brun.

Les produits (pain, pâtes, riz) portant la mention « enrichi ». Ils ont une longueur d'avance sur les autres produits raffinés (blancs) car ils ont été additionnés de fer et de vitamines B, des nutriments qu'ils avaient perdus pendant leur transformation. Même s'ils n'ont pas la prétention d'égaler les produits de grains entiers, les produits enrichis sont plus nutritifs que leurs cousins raffinés non enrichis.

Les produits de boulangerie allégés. Ils nous aident à couper dans le gras et surtout dans les mauvais gras trans et gras saturés souvent présents dans les produits de boulangerie commerciaux (muffins, gâteaux, croissants, beignes, danoises, biscuits et craquelins).

LES PRODUITS LAITIERS

Le fromage à 15 % de matières grasses (MG) ou moins. Le Québécois dévore en moyenne 30 g de fromage par jour, soit l'équivalent d'un cube de 4 cm de côté. Pour un fromage ordinaire à plus de 25 % MG (de type cheddar, gouda, brick, emmenthal ou colby), cela représente un apport d'au moins 8 g de gras (autant que 2 carrés de beurre), dont 5 g de gras saturés (près de 25 % de la limite quotidienne recommandée).

Le lait et le yogourt à 1 % MG ou moins. Chaque tasse de lait ou de yogourt à 2 % MG fournit 3 g de gras saturés, ce qui n'est pas négligeable. Les versions plus maigres ont l'avantage de contenir moins de gras et de calories, et tout autant de protéines et de calcium.

Le beurre d'arachide. Le bon vieux beurre «de pinottes» est une source économique de protéines, de vitamines et minéraux difficiles à obtenir autrement (acide folique, vitamine E, sélénium, magnésium, zinc et autres), d'antioxydants, de fibres et de bons gras insaturés. Il est tout indiqué pour une énergie longue durée. Selon une étude américaine récente (*American Journal of Clinical Nutrition*, déc. 1999), sans même réduire la quantité de gras consommée, le simple fait d'en changer la qualité en prenant plus de bons gras sous la forme d'arachides et de beurre d'arachide suffirait à réduire le risque de maladie cardiaque d'environ 21 %.

La viande maigre (sans gras visible). La viande contient une forme de fer qui est particulièrement bien assimilée par l'organisme. Et elle améliore de 2 à 4 fois l'absorption du fer des aliments végétaux du repas. D'autre part, c'est aussi une source importante de gras saturés, qui élèvent le risque de maladie cardiaque. Et la viande rouge est associée à un risque plus élevé de cancer du côlon et de la prostate. La solution? Choisir des coupes de viande bien maigres et y aller de petites portions ayant la taille d'un jeu de cartes. C'est largement suffisant.

Les charcuteries allégées ou végétariennes. Quatre tranches de bacon cuit (80 g, cru) contiennent 12 g de gras, une saucisse *wiener* au bœuf de 60 g, 16 g de gras, et une portion typique de saucisses à déjeuner cuites (115 g, crues), 20 g environ. À peu près le tiers de ces gras sont saturés. Et ces produits sont généralement bourrés de sodium. Quant aux charcuteries au poulet ou à la dinde, elles ne sont pas forcément plus maigres. Nos options les plus sûres : les versions allégées de charcuteries et les charcuteries végétariennes (saucisses, pepperoni, salami).

Les œufs. Ils fournissent des protéines de qualité (un œuf en apporte autant que 30 grammes de viande cuite), des vitamines A, D et B_{12}, de la riboflavine, de l'acide folique, du calcium, du fer, du zinc... pour seulement 75 calories chacun (autant qu'une pomme!) et l'équivalent d'une cuillerée à thé de gras. À raison de 3 ou 4 par semaine (cholestérol oblige!), ils ont leur place dans l'assiette d'une personne en bonne santé.

Les légumineuses et le tofu. Haricots, lentilles, pois secs et tofu nous aident à réduire notre consommation de viande, de gras saturés et de cholestérol. Ils regorgent de phytochimiques et de fibres (à l'exception du tofu), en plus d'être économiques. Quelques idées du commerce pour s'initier : le chili, les fèves en sauce tomate, la soupe aux pois ou le minestrone en conserve, le végépâté, l'hoummos (trempette de pois chiches), les burritos aux haricots surgelés et les saucisses et les burgers végétariens.

Le poisson. Il contient des protéines de qualité, de la vitamine D (surtout les sardines, le saumon et le maquereau), du calcium (lorsqu'on consomme les arêtes), du phosphore, du zinc et d'autres nutriments en quantité. Et surtout les espèces grasses, tels le maquereau, le hareng et le saumon, sont une source importante de bons gras oméga-3. Ceux-ci stimulent le système immunitaire et ont un effet anti-inflammatoire. De plus, ils aident à prévenir le cancer et ils protègent contre la maladie cardiaque en abaissant l'hypertension, en prévenant l'arythmie et en réduisant, dans le sang, les taux de certains gras et la formation de caillots. Autant de bonnes raisons de mordre plus souvent à l'appât!

2. Mettre «quatre» sur table

Chaque groupe du Guide a sa spécialité. Réunir au moins un aliment de chacun d'eux à chaque repas, c'est donc partir sur des bases solides. Ces aliments peuvent se retrouver dans un seul et même mets (tel un supersandwich au jambon avec mozzarella, laitue, poivron et tomate). Mais ils peuvent tout autant se retrouver séparément, si on prend par exemple un œuf dur, des crudités, un muffin et un verre de lait. Au choix.

3. Ajuster la quantité à nos besoins

La quantité de nourriture qu'une personne donnée doit consommer dépend de ses besoins en énergie et en éléments nutritifs. Ceux-ci varient en fonction de l'âge, du sexe, de la taille et du niveau d'activité physique. Ils augmentent aussi pendant la grossesse et l'allaitement. Il va de soi qu'un adolescent actif engloutit davantage qu'un petit de maternelle, et un travailleur de chantier, plus qu'une employée de bureau. Pour chaque groupe d'aliments, le *Guide alimentaire canadien pour manger sainement* suggère un éventail de portions à consommer chaque jour. Mais la meilleure façon de savoir précisément quelle quantité convient à *ses* besoins, c'est encore de se fier à *son* appétit! C'est le meilleur guide.

NOMBRE DE PORTIONS DE CHAQUE GROUPE À MANGER QUOTIDIENNEMENT ET EXEMPLES D'UNE PORTION

Produits céréaliers : 5 à 12 portions par jour
Exemples d'une portion : 1 tranche de pain, 1 muffin, 1/2 bagel, pita ou muffin anglais, 125 ml de pâtes alimentaires ou de riz cuits, 30 g de céréales prêtes à manger ou 175 ml de céréales chaudes.

Légumes et fruits : 5 à 10 portions par jour
Exemples d'une portion : 1 fruit ou légume moyen, 125 ml de fruits ou de légumes frais, surgelés ou en conserve, ou 125 ml de jus.

Produits laitiers : 2 à 4 portions par jour
Enfants (4 à 9 ans) : 2 à 3. Jeunes (10 à 16 ans) : 3 à 4. Adultes : 2 à 4. Femmes enceintes ou qui allaitent : 3 à 4. Exemples d'une portion : 250 ml de lait, 175 g (3/4 tasse) de yogourt ou 50 g de fromage, soit l'équivalent d'un morceau de 8 x 3 x 3 cm ou de 2 tranches de fromage fondu.

Viandes et substituts : 2 à 3 portions par jour
Exemples d'une portion : 1 à 2 œufs, 30 ml de beurre d'arachide, 50 à 100 g de viande, de volaille ou de poisson cuits, 100 g de tofu ou 125 à 250 ml de légumineuses cuites.

Pourquoi le nombre de portions varie-t-il pour chaque groupe ?
Pour tenir compte des besoins de chaque individu. Dès l'âge de 4 ans, la plupart des gens comblent leurs besoins de la journée en choisissant parmi les quantités d'aliments suggérées dans les quatre groupes. Par exemple, une femme âgée ou un enfant du primaire pourront se satisfaire du plus petit nombre de portions recommandé pour chacun des groupes, et un adolescent, du plus grand nombre. Encore une fois, lorsqu'il est question de quantité, l'appétit est le meilleur juge.

Des portions différentes pour des personnes différentes
Les quantités des exemples de menus ci-dessous sont données à titre indicatif. Chaque personne est unique, même dans sa façon de manger ! Le nombre réel de portions de chaque groupe d'aliments qu'on doit prendre à chaque repas est donc une affaire personnelle.

ALIMENTS	PORTIONS			
Menu 1	**Produits céréaliers**	**Fruits et légumes**	**Produits laitiers**	**Viandes et substituts**
Jeune enfant de 5 ans				
Jus de fruits (boîte de 200 ml)		1½		
Sandwich au jambon	2			
(2 tranches de 25 g)				1
Sachet de crudités (125 ml)		1		
Yogourt aux fruits (175 g)			1	
TOTAL	2	2½	1	1
Jeune femme de 25 ans				
Aux aliments précédents, on ajoute :				
Du fromage (1 tranche de 25 g)				
au sandwich			½	
TOTAL	2	2½	1½	1
Adolescent de 16 ans				
Aux aliments précédents, on ajoute :				
Un 2e sandwich jambon-fromage	2		½	1
Une salade verte (250 ml)		1		
ou un 2e sachet de crudités				
TOTAL	4	3½	2	2

ALIMENTS	PORTIONS			
Menu 2	**Produits céréaliers**	**Fruits et légumes**	**Produits laitiers**	**Viandes et substituts**
Jeune enfant de 5 ans				
Lait à 1 % (berlingot de 200 ml)			¾	
Œuf dur				1
Tomates cerises (4-5)		½		
Demi-carotte en bâtonnets		½		
Craquelins de blé entier (4)	1			
Pain aux bananes (1 tranche mince)	1			
Clémentines (2)		1		
TOTAL	2	2	¾	1
Jeune femme de 25 ans				
Aux aliments précédents, on ajoute :				
Une 2e tranche de pain aux bananes	1			
TOTAL	3	2	¾	1
Adolescent de 16 ans				
Aux aliments précédents, on ajoute :				
Un sandwich au beurre d'arachide (30 ml)	2			1
Du fromage (un cube de 4 cm)			1	
Une compote de pomme (125 ml)		1		
TOTAL	5	3	1¾	2
Menu 3	**Produits céréaliers**	**Fruits et légumes**	**Produits laitiers**	**Viandes et substituts**
Jeune enfant de 5 ans				
Jus de légumes (boîte de 200 ml)		1½		
Pizza pochette (p. 132)	2	1	½	¼
Pouding au chocolat (p. 168)			½	
(1/8 de recette ou 125 ml)				
TOTAL	2	2½	1	¼
Jeune femme de 25 ans				
Aux aliments précédents, on ajoute :				
Un 2e pouding au chocolat			½	
Un sachet de noix (50 ml)				½
TOTAL	2	2½	1½	¾
Adolescent de 16 ans				
Aux aliments précédents, on ajoute :				
Une 2e pizza pochette	2	1	½	¼
TOTAL	4	3 ½	2	1

Menus-conseils

Quelques conseils pour des lunchs tonifiants et revigorants

Inclure des aliments des quatre groupes à chaque repas. Ils ont chacun leur spécialité nutritionnelle en plus de former ensemble un mélange hautement énergétique. Par exemple :

- **Les fruits frais ou séchés, ou les jus.** Ils regorgent de glucides simples (glucose, fructose, sucrose). Ces sucres, vite digérés et absorbés, nous retapent en quelques minutes. Toutefois, leur action est de courte durée (moins d'une heure).
- **Les produits céréaliers (pain, muffins, céréales, riz, pâtes) et les légumineuses.** Leurs glucides complexes, qui se digèrent en 1 à 3 heures, libèrent graduellement leur glucose-carburant dans le sang. Ils prennent donc la relève des glucides simples pour une énergie longue durée. Et comme ces aliments sont faibles en gras, ils se digèrent aisément.
- **Les produits laitiers et les viandes et substituts (lait, fromage, viande, œufs, beurre d'arachide, noix, légumineuses, tofu).** Grâce à leurs protéines, leurs matières grasses et (pour les arachides, les noix et les légumineuses) leurs fibres, ces aliments contribuent à la satiété du repas et ralentissent l'entrée du glucose dans le sang pour un apport d'énergie qui dure et dure...

Inclure suffisamment de protéines à chaque repas. Une condition essentielle pour éviter de se sentir raplapla en mi-journée! Il s'agit de prévoir au moins une portion de viande ou de substitut (voir la grosseur des portions en p. 30). C'est l'équivalent d'environ 15 à 20 g de protéines. À noter : les soupes, salades et autres recettes de ce livre qui portent la mention « plat principal » fournissent au moins 15 g de protéines par portion et peuvent par conséquent constituer l'élément principal du repas.

Éviter les aliments gras ou très salés. Surtout avant une épreuve physique ou intellectuelle.

- **Les aliments gras** (charcuteries, viandes et fromages gras, fritures, pâtisseries, chocolat, croustilles et autres) : leur digestion demande de 5 à 7 heures. Conséquence : ils gardent le sang à l'estomac, où il est essentiel à la digestion, plutôt qu'au cerveau et aux muscles!
- **Les aliments salés** (grignotises, soupes, sauces, pizzas, repas surgelés, bacon, saucisses, jambon et autres aliments transformés du commerce) : ils épaississent le sang, déshydratent nos cellules et forcent les reins à éliminer le surplus de sel.

Éviter l'alcool. En anesthésiant le cerveau, il affaiblit les facultés (jugement, maîtrise de soi et attention), ralentit les réflexes et nuit à la vision et à la coordination des mouvements. Et il assèche notre corps en empêchant nos reins de retenir l'eau. Avant une performance sportive ou mentale, l'alcool peut nous faire perdre tous nos moyens.

Limiter le café. La caféine du café fait fuir le précieux calcium des os dans l'urine. Elle peut réduire la fertilité et augmenter les risques de fausses couches ou du syndrome de mort subite du nouveau-né. Le soir venu, elle peut aussi retarder ou perturber le sommeil si essentiel à la récupération. Mieux vaut donc se limiter à 2 ou 3 tasses de café par jour. Et si nos intestins ont tendance à *danser la rumba* avant une présentation, un examen ou une autre activité stressante, l'abstinence s'impose car la caféine stimule les intestins!

Boire du thé, de préférence entre les repas. Le thé est riche en flavonoïdes, des substances qui agissent comme antioxydants. Il contient aussi de la caféine (communément appelée «théine») mais en quantité 2 à 3 fois moindre que le café, de sorte qu'on peut facilement en boire 6 à 8 tasses (selon le type de thé et le temps d'infusion) par jour. Un conseil toutefois : éviter de boire du thé *pendant* les repas. Ses tannins piègent le fer et empêchent qu'il soit absorbé. Une seule tasse peut réduire le taux d'absorption du fer des deux tiers. Il vaut mieux prendre le thé au moins 2 heures après le repas ou, le cas échéant, prévoir une bonne source de vitamine C au repas pour neutraliser l'effet des tannins.

Privilégier les bons gras insaturés. Certains fournissent des acides gras essentiels à l'organisme, d'autres jouent un rôle important dans la protection contre les maladies cardiovasculaires. On trouve les gras insaturés surtout dans les poissons gras, les noix et les graines, les huiles végétales (canola, olive, tournesol, soja) et les margarines molles non hydrogénées faites de ces huiles.

Mettre de la variété au menu. Même les aliments préférés perdent de leur attrait lorsqu'ils reviennent trop souvent au menu. Et puis, aucun aliment n'est parfait. Même à l'intérieur d'un groupe d'aliments donné, chacun a ses forces et ses faiblesses. Varier, c'est donc profiter de ce que chacun a de meilleur et s'assurer d'aller chercher au fil des jours tout ce dont l'organisme a besoin.

Faire appel à ses sens. Voir, goûter, sentir, toucher et même entendre font partie du plaisir de manger. On n'a qu'à imaginer un repas composé d'une sauce blanche au poisson avec pommes de terre, chou-fleur, blanc-manger et verre de lait… De plus, la vue, l'odeur, le goût et même la pensée des aliments stimulent la digestion. Ils augmentent la sécrétion de la salive (on dit qu'ils mettent «l'eau à la bouche») et des liquides de l'estomac ainsi que le mouvement du tube digestif. Autre fait intéressant : la stimulation de nos sens par un repas alléchant entraîne des changements hormonaux qui augmentent la dépense calorique de 30 à 40 calories. À raison de trois repas par jour pendant un an, on obtient 36 500 calories environ, l'équivalent de 4 kilos de graisse !

Modérer les desserts très sucrés. La plupart des aliments très sucrés (pâtisseries, chocolat, crème glacée, biscuits) sont également très gras (surtout en mauvais gras trans et saturés), très caloriques et peu nutritifs. Ces aliments volent la place d'aliments plus sains. Et chez les personnes sensibles (on les qualifie de «résistantes à l'insuline» parce que l'insuline produite par leur pancréas ne suffit pas à faire pénétrer le sucre du sang à l'intérieur des cellules, où il est brûlé en énergie ou entreposé comme carburant), le sucre élève le risque de maladie cardiaque en faisant grimper les triglycérides sanguins (une forme de gras).

Éviter de s'empiffrer. Il est plus long et plus ardu de digérer un gros repas, en particulier dans le flot stressant des activités d'une journée. De fait, lors d'une situation anxiogène (examen, présentation, travail urgent à finir), la réaction «fuis ou fonce» de l'organisme force le sang à déserter le système digestif (où il est nécessaire à la digestion et à l'assimilation) au profit des bras et des jambes. Un repas léger facilite la digestion et il a l'avantage de s'intégrer facilement à un horaire chargé.

Les aliments chouchous

De quels aliments raffolent les petits et les grands? Pour le savoir, nous avons demandé à des élèves (maternelle et 6e année) et à leurs parents quels étaient leur mets, leur dessert, leur fruit, leur légume, leur collation et leur sandwich préférés. Voici le « top 5 » de leurs choix pour chacune des questions posées.

MATERNELLE (5-6 ANS)

Mets principal	Dessert	Fruit	Légume	Collation	Sandwich
Spaghetti	Gâteau au chocolat	Pomme	Carotte	Barre de céréales	Jambon*
Pâté chinois	Crème glacée	Fraises	Concombre	Biscuits au chocolat	Fromage
Macaroni au fromage	Pouding au chocolat	Banane	Poivron	Muffin	Poulet
Pizza	Yogourt	Poire	Chou-fleur	Pomme	Œufs
Saucisses	Biscuits au chocolat	Raisins	Brocoli	Carré à la guimauve	Thon

*avec ou sans fromage

(66 répondants)

6e ANNÉE (11-12 ANS)

Mets principal	Dessert	Fruit	Légume	Collation	Sandwich
Pizza	Crème glacée	Pêche	Concombre	Biscuits	Poulet
Spaghetti	Gâteau au chocolat	Mangue	Carotte	Fruit	Jambon*
Lasagne	Tarte au sucre	Framboises	Tomate	Muffin	Tomate
Macaroni	Beigne	Melon d'eau	Poivron	Yogourt	Beurre d'arachide
Fondue chinoise	Popsicles	Pomme	Brocoli	Popsicles	Dinde

*avec ou sans fromage

(48 répondants)

PARENTS

Mets principal	Dessert	Fruit	Légume	Collation	Sandwich
Viande rouge	Pâtisserie	Pomme	Asperges	Fruit	Jambon*
Pâtes alimentaires	Dessert au chocolat	Mangue	Carotte	Fromage	Poulet
Poisson	Gâteau au chocolat	Orange	Brocoli	Yogourt	Tomate
Spaghetti	Tarte aux fruits	Pêche	Tomate	Noix	Œufs
Sushis	Fruit	Framboises	Salade	Muffin	Thon

*avec ou sans fromage

(105 répondants)

Chapitre 4
Les précautions à prendre

Déjouer les bactéries

Comme nous, les bactéries apprécient un bon gueuleton. D'ailleurs, elles raffolent des aliments qui sont humides, pas trop acides et bien riches en protéines comme la viande, la volaille, le poisson, les œufs et les produits laitiers. Et elles sont insatiables! Saviez-vous qu'à une température située entre 35 °C et 45 °C (95 °F à 113 °F), leur nombre peut doubler toutes les 15 minutes? Et qu'à ce rythme, 100 bactéries peuvent produire plus d'un million de rejetons en seulement 3 1/2 heures?

Chaque année au Canada, on enregistre quelques milliers de cas d'empoisonnements alimentaires. Mais Santé Canada évalue à 2 000 000 le nombre de cas réels. D'ailleurs, si vous avez déjà souffert de nausées et de vomissements accompagnés de crampes abdominales et de diarrhée, vous avez peut-être été victime d'un empoisonnement alimentaire sans le savoir. La plupart des cas sont bénins et ne durent que quelques jours. Mais les conséquences peuvent être plus graves, surtout pour une personne âgée, un enfant, une femme enceinte ou une personne dont le système immunitaire est affaibli par le cancer ou le VIH. Il n'y a donc pas de risques à prendre, surtout que dans presque tous les cas, l'empoisonnement alimentaire est évitable.

LES ALIMENTS SÛRS

Ces aliments ne constituent pas un bon milieu de croissance pour les bactéries, de sorte qu'on peut les laisser à la température ambiante sans avoir recours à des bouteilles isolantes ou à des contenants réfrigérants. Mais attention : les aliments sûrs ne le restent pas indéfiniment. Et lorsqu'on combine un aliment sûr à un aliment à risque (voir la liste page suivante), le mélange devient automatiquement à risque.

Fruits et légumes	Produits céréaliers	Produits laitiers
Fruits crus, cuits ou séchés Légumes crus Jus de fruits ou de légumes en boîte Tetra Pak*	Céréales prêtes à servir (sans lait) Barres de céréales et biscuits Muffins et gâteaux Pain, craquelins et biscottes	Lait et boissons au lait en boîte Tetra Pak* Fromage à pâte ferme (cheddar, mozzarella, brick ou autres) Poudings du commerce (vendus à la température ambiante)

Viandes et substituts	Autres aliments	Autres aliments (suite)
Arachides, noix et graines Beurre d'arachide Poulet, jambon, poisson et autres viandes en conserve* Saucissons secs (salami, pepperoni et autres)	Vinaigre et huile Beurre et margarine Cornichons, moutarde, ketchup et relish Confitures, miel, sirop, bonbons et sucre Café, thé et tisane	Tous les aliments en conserve, en pot ou en boîte Tetra Pak* * Non ouverte

LES ALIMENTS À RISQUE

On doit les traiter aux p'tits oignons pour éviter la contamination bactérienne. Ces aliments, même cuits, ne devraient jamais rester à la température ambiante plus de deux heures consécutives ou plus de quatre heures au total, entre le moment de l'achat et celui de la consommation. À moins bien sûr d'avoir recours à du matériel approprié (bouteilles isolantes ou contenants réfrigérants).

Fruits et légumes	Produits céréaliers	Produits laitiers	Viandes et substituts	Autre aliment
Légumes cuits* Jus de fruits ou de légumes (vendus réfrigérés) * Sauf ceux qui sont en conserve, en pot ou en boîte Tetra Pak (non ouverte)	Céréales à cuire, pâtes et riz cuits	Lait*, boissons au lait* et crème Yogourt Poudings (maison ou du commerce, vendus réfrigérés) Fromage frais (cottage, quark ou ricotta)	Légumineuses cuites* Viandes, volailles et poissons crus ou cuits* Viandes transformées (viandes à tartiner, jambon, saucisson de Bologne et autres)* Œufs crus* ou cuits Tofu	Mayonnaise

La fameuse mayonnaise!

À en croire certains, aucun aliment n'est plus redoutable. Or, la mayonnaise est plutôt acide (à cause du vinaigre), et l'acidité fait horreur aux bactéries. En fait, c'est davantage la combinaison de la mayonnaise avec du poulet, des œufs, du poisson ou d'autres aliments protéiques qui est à risque. Ces aliments réduisent l'acidité du mélange et ajoutent des protéines au menu des bactéries, à leur plus grand plaisir. La solution? Conserver le mets contenant de la mayonnaise dans une bouteille isolante ou utiliser un contenant réfrigérant dans la boîte à lunch.

Le choix des aliments

- **Si on utilise une boîte à lunch munie de bouteilles isolantes ou de contenants réfrigérants ou, pour un repas à l'extérieur, une glacière ou un sac à dos isolant avec réfrigérants :** tout est permis. On peut emporter n'importe quoi, même des sandwichs aux œufs, de la salade de pommes de terre, du poulet rôti ou une cossetarde, car le matériel utilisé maintiendra les aliments à des températures adéquates.
- **Si on utilise un sac à dos, un sac en papier brun, un panier en osier ou un autre emballage sans isolation thermique :** on apporte des aliments sûrs (sandwich au beurre d'arachide, crudités, cubes de cheddar, muffin, noix, fruit frais, jus en boîte Tetra Pak ou autres), qui peuvent séjourner quelques heures à la température ambiante sans danger. Ou encore, on opte pour des aliments à risque (ceux à base de lait, de yogourt, d'œufs, de volaille ou autres) en veillant à les laisser au réfrigérateur jusqu'à l'heure du repas ou à les consommer dans les deux heures suivant leur sortie du réfrigérateur.

Les p'tits soins

De l'épicerie à l'assiette, les précautions suivantes nous aideront à réduire les risques de contamination.

À l'achat

Vérifier les aliments. Noter les dates de péremption (« meilleur avant ») inscrites sur les emballages de pain, de jus, de lait, de yogourt, de fromage, d'œufs, de charcuteries et de viandes. Éviter d'acheter des œufs fêlés ou des conserves ou des emballages endommagés; leur contenu pourrait avoir été contaminé.

S'assurer qu'on les emballe bien. Demander qu'on place les surgelés et les viandes fraîches individuellement dans des sacs en plastique et qu'on les regroupe avec les produits réfrigérés pour maintenir leur température froide.

Lors de la conservation et de la préparation

Ranger rapidement les aliments réfrigérés ou surgelés. Se rappeler que la température ambiante est particulièrement propice à la reproduction des bactéries, alors que la réfrigération ralentit leur multiplication et que la congélation les endort.

Placer les viandes et les volailles crues dans des assiettes. Cela empêchera leurs jus possiblement contaminés de couler sur d'autres aliments, surtout ceux qui sont déjà cuits (œufs durs, viandes cuites) ou prêts à manger (salades, desserts et autres).

Envelopper les aliments. Les recouvrir d'une pellicule de plastique ou d'un couvercle ou les placer dans des contenants hermétiques. On évitera ainsi qu'ils ne soient contaminés par d'autres aliments ou qu'à l'inverse les viandes et les volailles crues, par exemple, ne dégouttent sur d'autres aliments et ne les contaminent.

Éviter de laisser les aliments périssables inutilement à la température ambiante. En règle générale, ils ne devraient jamais séjourner à la température de la pièce plus de deux heures consécutives ou plus de quatre heures en tout. On ne sort ces aliments du réfrigérateur qu'au moment de les utiliser et on les y retourne aussitôt après.

Maintenir la température du réfrigérateur à un maximum de 4 °C (40 °F) et celle du congélateur à -18 °C (0 °F) au plus. Il suffit d'y installer un thermomètre… et d'y jeter un coup d'œil de temps en temps!

Cuire ou congeler (s'ils ne l'ont pas déjà été) les volailles, les rôtis et les biftecks crus dans les 3 jours suivant l'achat, et les viandes hachées ou en cubes et les abats crus dans les 24 heures. Éviter toutefois de recongeler un aliment qui a été complètement dégelé à moins de l'avoir d'abord fait cuire.

Utiliser les aliments à l'intérieur des délais recommandés (voir le tableau « Les aliments qui se congèlent » en p. 23). À noter cependant : une fois le contenant ouvert, la date de péremption inscrite sur certains aliments (pain, lait, yogourt, jus, fromage et autres) n'est plus valable et l'aliment doit généralement être réfrigéré et consommé dans les quelques jours qui suivent.

Bien laver les fruits et les légumes. Cela éliminera la saleté et une partie des bactéries et des résidus de pesticides.

Décongeler lentement. Ce peut être au réfrigérateur, dans l'eau froide (en glissant l'aliment dans un sac en plastique et en renouvelant l'eau à l'occasion pour qu'elle reste bien froide) ou au micro-ondes en suivant les directives du fabricant. La décongélation à la température ambiante (sur le comptoir) est déconseillée, à moins d'envelopper l'aliment de serviettes ou d'une double épaisseur de papier brun. L'idée est de maintenir la surface de l'aliment bien au frais jusqu'à ce que son centre soit complètement dégelé.

Se laver les mains aussi souvent que nécessaire. Ce qui veut dire : avant de commencer à travailler, après avoir manipulé des aliments crus (comme les œufs, la viande ou la volaille), après s'être mouché, avoir éternué, être allé aux toilettes… Et ne pas oublier le savon!

Bien cuire la viande hachée et la volaille. Comme elles sont plus sensibles à la contamination, on les cuit à 160 °C (325 °F) ou plus pour permettre une élévation rapide de la température interne de l'aliment. Et on termine la cuisson lorsque leur chair ne présente plus aucune coloration rosée.

Réfrigérer les aliments dès que possible après leur cuisson. On les laisse à peine tiédir (le fait de les répartir dans plusieurs petits contenants accélère le processus) plutôt que d'attendre qu'ils soient complètement refroidis.

Nettoyer la planche à découper, les ustensiles et ses mains entre chaque aliment à préparer. Ou encore, s'assurer de préparer les aliments cuits (viande, volaille, œufs) ou prêts à manger (salade, crudités, pain) avant les aliments crus pour éviter leur contamination possible.

Bien nettoyer la cuisine. Une fois la préparation des aliments finie, laver les ustensiles, la vaisselle, la planche à découper et les comptoirs de cuisine avec une solution d'eau de Javel diluée (5 ml d'eau de Javel pour 750 ml d'eau). Cette solution tue les bactéries présentes sur les surfaces.

Réfrigérer la veille tous les aliments qui entreront dans la boîte à lunch. Même les non-périssables (muffins, fruits frais, boîte de jus ou autres). Ils refroidiront à fond, ce qui permettra de garder tout le contenu de la boîte à lunch frais plus longtemps.

Lors de l'emballage

Éviter les périodes d'attente à la température ambiante. Conserver les aliments froids au froid et les aliments chauds au chaud.

- **Pour les mets froids (salades, sandwichs, yogourt, lait ou autres) :** utiliser une bouteille isolante préalablement refroidie (voir « Pour une efficacité maximale » en p. 11). Ou prendre un contenant en plastique étanche que l'on conservera au réfrigérateur tout l'avant-midi ou, si on le laisse dans la boîte à lunch, sur lequel on placera un contenant réfrigérant.
- **Pour les mets chauds (plats cuisinés, potages, pâtes) :** utiliser une bouteille isolante préalablement ébouillantée (voir « Pour une efficacité maximale » en p. 11). Ou encore, si on doit réchauffer le mets au moment du repas, le placer dans un contenant en plastique étanche et l'accompagner d'un réfrigérant.

À l'école ou au travail

Laisser la boîte à lunch dans un endroit frais ou froid. Éviter les endroits exposés à la lumière directe (le rebord d'une fenêtre, par exemple) et ceux près des radiateurs ou d'autres sources de chaleur.

De retour à la maison

Faire le tri. Jeter les restes d'aliments périssables et, s'ils ont été manipulés, d'aliments non périssables. Quant aux aliments non périssables qui sont restés bien emballés (la boîte de jus, le sachet de noix ou la boîte de raisins secs, par exemple), on pourra les réutiliser. Surtout, ne jamais se fier à ses yeux, à son nez ou à ses papilles pour juger si un aliment est encore comestible. Les aliments contaminés ne présentent habituellement pas de signes (une odeur, une apparence ou un goût particuliers) qui permettraient de les reconnaître.

Bien nettoyer tout le matériel. La boîte à lunch, les bouteilles isolantes, les contenants en plastique, les ustensiles : tout doit y passer, et chaque fois qu'on les utilise (pour plus de détails, consulter le chapitre « On s'équipe ! » en p. 9).

Pratiques, les boîtes Tetra Pak

Les « boîtes à boire », ça vous dit quelque chose ? Ces boîtes cartonnées rectangulaires de jus, de lait ou d'autres boissons n'ont pas besoin de réfrigération, elles ne cassent pas et elles s'empilent facilement pour économiser de l'espace dans le garde-manger ou la boîte à lunch. Une fois congelées, elles peuvent même servir de contenants réfrigérants pour garder les aliments froids. Et en prime, elles sont 100 % recyclables et n'ont pas besoin qu'on les rapporte à la maison !

Prévenir les allergies alimentaires

Les allergies alimentaires n'ont rien d'un caprice personnel ou d'une simple angoisse parentale : elles sont bien réelles, souvent handicapantes et quelquefois mortelles. Parce qu'il n'y a pas de risques à prendre, voici quelques précautions à considérer pour les petits (allergiques ou non) qui prennent chaque matin le chemin de la garderie, du préscolaire ou de l'école primaire.

LE SAVIEZ-VOUS ?

- De 1 à 2 % de la population souffre d'allergies alimentaires. Chez les jeunes enfants, ce pourcentage s'élève à 5 % environ. Et l'incidence ne cesse d'augmenter.
- L'arachide, les noix, le sésame, le poisson, les fruits de mer, le blé, le soja, le lait de vache et les œufs sont impliqués dans 90 % des réactions allergiques graves. Mais on peut être allergique à peu près à n'importe quoi : riz, moutarde, céleri, persil, banane, kiwi…
- L'allergie aux arachides est l'une des allergies alimentaires les plus courantes et elle est de loin la principale cause de l'anaphylaxie, réaction allergique grave susceptible d'entraîner la mort si on n'intervient pas rapidement. À elle seule, l'arachide est responsable de plus de 50 % des décès associés aux allergies alimentaires !
- Une personne peut avoir une réaction allergique si ses mains mal nettoyées contiennent des traces d'allergènes et qu'elle les porte à sa bouche. Ou encore, si elle consomme un aliment qui a été en contact avec des particules d'un autre aliment auquel elle est allergique.

COMMENT PRÉVENIR ?

On ne peut pas demander à un enfant du primaire d'assumer à lui seul la responsabilité de son allergie alimentaire. Il apprend et il a besoin d'être encadré. Et c'est à tout l'entourage (parents, éducateurs, gardiens, amis, voisins) de soutenir ses efforts. Voici quelques façons de le faire.

À la maison

Ne jamais prévoir pour la boîte à lunch d'arachides, de beurre d'arachide ou d'aliments qui en contiennent lorsqu'il y a présence, à l'école ou au service de garde, d'enfants allergiques à l'arachide*. Un sandwich au fromage, à la tartinade de viande ou à l'hoummos (tartinade de pois chiches) est une solution de rechange économiques à la traditionnelle tartine de beurre de « pinottes ».

Pour déceler les aliments contenant de l'arachide, lire attentivement la liste des ingrédients sur l'étiquette, en particulier sur les barres tendres, les pâtisseries et les biscuits. Ne pas oublier que bien des termes peuvent indiquer la présence d'arachides : cacahuètes, mandelonas (des arachides transformées pour imiter une autre noix ou une amande), noix artificielles, noix broyées ou noix mélangées. Et attention aux produits connus : les fabricants modifient parfois leurs recettes !

Comme les aliments qui portent la mention « peut contenir des traces d'arachides » présentent peu de risques, on peut en donner à un enfant qui *n'est pas* allergique.

Prévoir des collations que la majorité des enfants (allergiques ou non) peuvent manger, comme des fruits ou des légumes. Leur santé ne s'en portera que mieux !

Aux repas

Dans les services de garde, exiger qu'on passe d'abord au micro-ondes les plats à réchauffer des enfants allergiques. Ou utiliser des contenants en plastique munis d'un orifice anti-éclaboussure pour

* Une recommandation de la Société canadienne d'allergie et d'immunologie clinique, de l'Association des allergologues et immunologues du Québec et de l'Association canadienne des commissions et conseils scolaires.

prévenir la contamination du contenu par les particules d'autres aliments possiblement présentes dans le micro-ondes.
Encourager les enfants à *ne pas* partager leur nourriture, leurs ustensiles ou leurs récipients avec un camarade de classe. Pour une personne allergique, une fourchette, une assiette ou un contenant ayant été en contact avec l'aliment problème est contaminé, donc dangereux.

Pour plus d'information

L'Association québécoise des allergies alimentaires offre des informations par téléphone, diverses publications, un livre de recettes et des ateliers de formation. On peut joindre l'association par téléphone au (514) 990-2575 ou visiter leur site à www.aqaa.qc.ca.

Chapitre 5
Pas le temps de manger ?

Les hommes et les femmes d'aujourd'hui manquent de temps pour préparer leurs repas. Mais pire, ils en manquent aussi pour manger! L'heure du repas est devenue compressible au profit du temps alloué aux obligations professionnelles, familiales ou sociales. Résultat : nombreux sont ceux qui escamotent le repas du midi quand ils ne le sautent pas carrément! Pourtant, prendre le temps de manger le midi procure des bienfaits qui se mesurent autrement qu'en calories ou en nutriments.

POURQUOI MANGER LE MIDI ?

Le temps qu'on s'accorde pour manger le midi nourrit à la fois le corps et l'esprit. Il s'avère un atout à bien des égards.

1. **Pour maintenir sa santé.** Les personnes qui escamotent un repas ont plus de difficulté à retirer des autres repas de la journée tous les éléments nutritifs dont elles ont besoin. Rien d'étonnant puisqu'elles doivent faire autant avec moins. Et puis, un repas ne fournit pas que des nutriments : il fait plaisir, il donne l'occasion de socialiser, il permet de se changer les idées, de relâcher la pression; bref, il apporte aussi une bonne dose d'énergie mentale.
2. **Pour s'éviter un stress inutile.** Après environ 5 heures sans manger, le glucose du sang (le sucre-carburant préféré du cerveau et des muscles) est à son niveau le plus bas et ne peut plus suffire aux besoins des cellules. Pour maintenir l'approvisionnement en énergie, le corps doit alors mobiliser ses réserves sous l'action d'hormones d'urgence comme l'adrénaline. Et il émet des signaux d'alarme (maux de tête, nausées, irritabilité, manque de concentration). En mangeant régulièrement, on maintient dans son réservoir d'énergie sanguin un niveau de glucose suffisant pour fournir sans heurt à la demande.
3. **Pour être d'attaque.** Passer un avant-midi à apprendre, à travailler ou à faire du ménage ou des courses, cela épuise la batterie. Lorsqu'on « oublie » de manger, la fatigue s'installe et la performance diminue. En s'accordant un moment pour déguster son lunch sur un banc de parc puis s'adonner à un brin de magasinage, une promenade ou une séance d'exercice, on retape le physique et le mental. Il suffit parfois d'un répit de quelques minutes pour obtenir des heures de rendement accru…
4. **Pour garder la ligne.** Ce n'est pas en sautant un repas qu'on peut mieux gérer son poids. Les économies de calories qu'on

réalise alors sont souvent annulées par les autres repas de la journée, où l'on compense en consommant davantage. Lorsqu'on mange régulièrement, on contrôle plus facilement son appétit et ses calories. On résiste mieux à la deuxième portion de dessert ou à la sucrerie de la pause-café. Et le corps brûle plus efficacement les calories.

COMMENT Y PARVENIR ?

Il existe des stratégies pour réussir à concilier nos obligations et les besoins de notre corps. À nous de choisir celles qui nous conviennent.

1. **Faire du repas une priorité.** Et l'inscrire à son agenda comme une activité *obligatoire*, ce qu'il *devrait* être. Et quand l'envie vient de passer outre, se rappeler qu'on trouve toujours le temps de faire ce qu'on veut vraiment faire!
2. **Opter pour des aliments « instantanés ».** Des choix-minute qui ne requièrent ni préparation, ni cuisson, ni même d'être réchauffés : jus, salade, poulet froid, œuf dur, fromage, sandwich, mets cuisiné déjà chaud (transporté dans une bouteille isolante), yogourt. On ouvre et on mange!
3. **Prévoir des « combos ».** Il s'agit de combiner dans un même mets des aliments de plus d'un groupe. Quelques exemples : un mélange de muesli et de yogourt, une soupe minestrone, une salade de riz aux lentilles, une pointe de pizza, un sandwich au dindon avec gruyère, luzerne et tomate, un macaroni aux tomates gratiné, ou même à l'occasion, un repas liquide (pour plus de détails, consulter le chapitre 6). Autant de plats nourrissants qui tiennent dans une main, lorsque chaque minute compte !
4. **Faire provision d'en-cas portatifs.** Pratiques, ces formats individuels qui savent voyager se glissent dans le porte-documents, le sac à main ou le coffre à gants de la voiture pour manger sur le pouce, sans gâchis ni chichi. En prévision des imprévus, on peut en laisser quelques-uns dans le tiroir du bureau ou le casier de l'école ou, si on y a accès, dans le réfrigérateur de la cafétéria ou de la salle de repos. Un conseil : ne pas oublier de garder à proximité quelques ustensiles, une assiette, des serviettes de table et un ouvre-boîte! (Voir p. 45)
5. **Manger en pièces détachées.** Dans certaines circonstances, c'est la seule façon de se nourrir. Un travail urgent à terminer? Une sortie, une réunion ou un rendez-vous de dernière minute? À défaut de pouvoir manger son lunch d'une traite, on peut en échelonner la consommation, surtout lorsqu'il se compose d'aliments en portions individuelles.

ET QUAND ON S'ENTRAÎNE À L'HEURE DU LUNCH ?

Voici quelques trucs pour bien s'alimenter lorsqu'on prévoit s'adonner à une séance d'aérobie, de jogging, de marche rapide, de tennis, de natation ou de conditionnement physique à l'heure du midi.

Dans l'avant-midi précédant l'exercice

Prendre un petit-déjeuner solide comprenant des aliments d'au moins trois des quatre groupes alimentaires.

Boire régulièrement. L'eau est la boisson hydratante de choix, car elle est rapidement absorbée par le système digestif. Les jus de fruits, les oranges et les boissons pour sportifs (surtout celles qui ont un maximum de 10 % de glucides, car elles sont assimilées plus vite) sont aussi des options valables, en particulier lors d'un effort prolongé (plus de deux heures). En plus d'hydrater, ils procurent des sucres-carburant d'absorption rapide et remplacent les minéraux perdus dans la sueur.

EXEMPLES D'EN-CAS PORTATIFS				
Fruits et légumes	**Produits céréaliers**	**Produits laitiers**	**Viandes et substituts**	**Autres aliments**
Fruits frais ou en coupe Fruits en pot pour bébé Jus en boîte Tetra Pak Sachets de fruits séchés Sachets de crudités	Céréales sèches en bouchées (de type Cheerios, Son d'avoine, Son de maïs, Shreddies ou autres) en petites boîtes ou emballées dans de petits contenants hermétiques) Craquelins ou bagels de grains entiers Barres de céréales et biscuits (figues, dattes, gruau) Muffins et pains (bananes, fruits, noix)	Berlingots de lait (P) Tranches ou ficelles de fromage (P) Minitrempettes pour légumes (du commerce) (P) Yogourts individuels en pot ou en tube (P) Yogourts à boire (P) Poudings (au lait, au riz ou tapioca) en coupe	Beurre d'arachide en portions individuelles Œufs durs (en coquille) (P) Sachets de noix ou de graines Thon, saumon ou autres poissons en petites boîtes	Laits (soja, riz) en boîte Tetra Pak

Les noms suivis d'un «P» sont plus périssables et ne devraient pas séjourner à la température ambiante plus de deux heures consécutives. Pour plus de détails sur la conservation des aliments, consulter le chapitre 4.

Éviter l'alcool. Il anesthésie le cerveau et déshydrate, ce qui peut rapidement mettre K.-O.!

Une heure avant l'exercice

Prendre une collation à base d'aliments glucidiques : une banane avec un yogourt, des fruits séchés et quelques noix, un jus de fruits et un muffin, des céréales avec du lait, un sandwich et un verre de lait ou une soupe-repas avec une tartine de pain, par exemple.
Boire jusqu'à 500 ml de liquide. Le délai qui restera avant l'exercice permettra une hydratation adéquate et l'élimination du «trop plein». Privilégier les jus et les boissons pour sportifs, car leurs glucides permettent une mise en réserve adéquate du glycogène, le sucre de réserve.

Juste avant l'exercice

Ne pas manger. Le maximum de sang restera disponible aux bras et aux jambes plutôt que d'être dévié vers l'estomac où il est essentiel à la digestion. On peut toutefois maintenir l'hydratation au moyen de jus ou de boissons pour sportifs.

Lors de l'exercice

Il n'est habituellement pas nécessaire de manger.
Si l'activité dure moins d'une heure : boire une petite quantité d'eau fraîche à intervalles réguliers, soit 4 à 5 gorgées ou un verre de 200 à 250 ml toutes les 15 à 20 minutes environ. Cela compensera pour les pertes d'eau. Plus on sue, plus cette mesure est importante.
Si l'activité dure plus d'une heure : des jus de fruits ou des boissons pour sportifs aideront à maintenir la performance.

Après l'exercice

Boire immédiatement pour rétablir l'hydratation. Si l'exercice a duré plus d'une heure, des jus de fruits ou d'autres boissons glucidiques permettront de refaire à la fois les réserves d'eau et d'énergie. Pour obtenir le plus d'effets, on devrait idéalement prendre ces boissons sucrées entre 15 à 30 minutes après l'arrêt de l'exercice.
Prendre un autre goûter plus substantiel ou un repas, et continuer de s'hydrater.

Chapitre 6
Restaurants-minute, repas surgelés et substituts de repas : des solutions de rechange ?

On n'a pas le temps ou pas le goût de faire son lunch ? Il y a toujours les restaurants-minute, les repas surgelés et les substituts de repas. Mais que valent vraiment ces options ? À titre d'information, les besoins quotidiens d'une femme adulte de 25 à 49 ans sont en moyenne de 1 900 calories et d'au plus 65 g de gras (dont 21 g de gras saturés). Et ceux d'un homme du même groupe d'âge, d'environ 2 700 calories et 90 g de gras (dont 30 g de gras saturés). Quant au sodium, pour hommes ou femmes, il est souhaitable de limiter son apport à 2 500 mg ou moins.

Les restaurants-minute (*fast-food*)

On s'en doutait : les restaurants-minute sont des pièges à gras (et en particulier à gras saturés et à gras trans, qui bloquent les artères), à sodium et à calories. Et réussir à y prendre un repas « décent » n'est pas une mince tâche.

DES CHIFFRES...

À noter : les frites et autres fritures des restaurants-minute sont aussi des sources importantes de gras trans, qui sont au moins aussi mauvais pour les artères que les gras saturés du bœuf haché ou du fromage. Malheureusement, les données fournies par les chaînes de restaurants-minute n'incluent habituellement pas ces mauvais gras.

Chez Burger King, un Whopper avec fromage compte 730 calories, 46 g de gras (l'équivalent de 9 cuillerées à thé de beurre), 16 g de gras saturés et 1 300 mg de sodium. Lorsqu'on le prend avec les frites habituelles (400 calories, 20 g de gras, 5 g de gras saturés, 240 mg de sodium), le sachet de sel (390 mg de sodium), la danoise pommescannelle (390 calories, 13 g de gras, 10 g de gras saturés, 305 mg de sodium) et la boisson gazeuse (152 calories), on a 1 700 calories et environ notre ration de gras, de gras saturés et de sodium pour la journée!

Moins gras, les burgers au poulet ? Chez McDonald's, le sandwich au poulet pané (533 calories, 29 g de gras) fournit autant de calories et de gras que le hamburger quart de livre avec fromage (534 calories, 30 g de gras) ou que le Big Mac (541 calories, 30 g de gras).

Un McWrap alors? D'accord, il fournit moins de 10 g de gras. Mais il contient autant de sodium qu'une pizza individuelle, soit plus de 1 000 mg. Comme quoi rien n'est parfait...

Les frites, un «à-côté»? Un grand format de frites McDonald's (519 calories, 24 g de gras, 12 g de gras saturés) donne environ autant de calories, de gras et de gras saturés qu'un Big Mac (541 calories, 30 g de gras, 10 g de gras saturés).

Un chausson avec ça? Même «cuit au four» (280 calories, 14 g de gras, 4 g de gras saturés), un chausson aux fruits de type McDonald's contient à peu près autant de calories, de gras et de gras saturés qu'un cheeseburger (311 calories, 14 g de gras, 6 g de gras saturés).

Un muffin alors? Chez Burger King, un muffin aux carottes (sans ajout de beurre!) contient 430 calories et 20 g de gras, alors que la tarte aux pommes compte «seulement» 310 calories et 15 g de gras. La raison est simple : les muffins commerciaux sont généralement de vrais gâteaux ! La plupart sont faits de farine blanche et contiennent entre 350 et 450 calories, de 10 à 20 g (2 à 4 c. à thé) de gras et de 25 à 35 g (6 à 9 c. à thé) de sucre.

... ET DES SOLUTIONS!

Pour éviter que notre prochaine «attaque» de restauration-minute ne nous mène tout droit à l'unité coronarienne, voici quelques trucs santé à essayer.

En accompagnement

Au lieu : de la soupe-crème, des frites, des rondelles d'oignon ou de la salade crémeuse (salade César, de pommes de terre, de chou crémeuse ou de macaroni),
choisissez : la salade verte avec vinaigrette allégée (en limitant les croûtons, les miettes de bacon et le fromage ordinaire [non écrémé]), la salade de chou traditionnelle ou la soupe aux légumes, aux pois ou à l'oignon.

Pour les sandwichs

Pain

Au lieu : du croissant,
choisissez : n'importe quelle autre variété de pain! Ce n'est pas le choix qui manque et la plupart sont faibles en gras.

Garnitures

Au lieu : de la galette de bœuf haché «quart de livre», de la charcuterie (jambon, viande fumée, dindon ou poulet pressés) ou de la salade de poulet, de thon ou d'œufs,
choisissez : la petite galette de bœuf haché (60 g), le rosbif, le dindon ou le blanc de poulet sans peau, le thon ou le saumon en boîte, le végé-pâté ou l'hoummos.

Condiments

Au lieu : du fromage, du beurre ou de la mayonnaise ordinaires (non réduits en matières grasses),
choisissez : la margarine molle non hydrogénée, la mayonnaise ou la sauce à salade à teneur réduite en matières grasses, la moutarde, le ketchup, la relish, la salsa, le fromage de lait écrémé, les cornichons ou les poivrons.

Au dessert

Au lieu : de la crème glacée, du lait frappé, de la tarte, du *brownie*, du gâteau au fromage, du muffin géant, du chausson (même « cuit au four » !) ou des biscuits aux pépites de chocolat, **choisissez :** la salade de fruits, le sorbet, le lait glacé, le yogourt sans gras, le petit muffin ou le plus gros en version allégée.

« PUIS-JE PRENDRE VOTRE COMMANDE ? »

Voici deux repas de restauration-minute typiques. À vous de juger la différence.

Le Mac Ordinaire	Le Mac Super
Hamburger au poulet pané (533 cal, 29 g de MG, 6 g gras sat.)	**Hamburger au poulet grillé** (310 cal, 8 g de MG, 2 g gras sat.)
Frites (portion moyenne) (400 cal, 19 g de MG, 9 g gras sat.)	**Salade du jardin, vinaigrette légère (30 ml)** (70 cal, 6 g de MG, 1 g gras sat.)
Chausson « cuit au four » (280 cal, 14 g de MG, 4 g gras sat.)	**Cornet de lait glacé** (152 cal, 5 g de MG, 3 g gras sat.)
Boisson gazeuse (format moyen) (215 cal, 0 g de MG, 0 g gras sat.)	**Jus de pomme (180 ml)** (76 cal, 0 g de MG, 0 g gras sat.)

Le bilan

Le Mac Ordinaire : 1 428 calories, 62 g de gras et 19 g de gras saturés. Il n'inclut pas de produit laitier et, si on exclut les frites grasses, la menue laitue du hamburger et la « confiture » du chausson, ni fruit ni légume.

Le Mac Super : 608 calories, 19 g de gras, 6 g de gras saturés. Et il comprend de dignes représentants de chacun des quatre groupes d'aliments.

Les repas surgelés

Soyons honnêtes : depuis l'époque des *TV Dinner* (apparus en 1954, peu après la télévision), les fabricants de repas surgelés ont agréablement diversifié leur menu. Et ils ont coupé dans le gras et dans le sel (même s'il y a encore du chemin à faire !). Malheureusement, ils ont coupé aussi dans les aliments.

DES CHIFFRES...

Calories. La plupart des repas surgelés « minceur » ou « légers » ne comptent que 250 à 350 calories. C'est l'équivalent d'un muffin ou d'une tasse de yogourt ou de crème glacée ordinaires. Voilà qui convient davantage pour une collation ou une entrée que pour un plat principal, qui contient facilement 500 calories ou plus.

Légumes. Rares sont les repas surgelés qui ont plus d'une « petite » demi-tasse de légumes (l'équivalent d'une des 5 à 10 portions de fruits et légumes à consommer chaque jour). Le populaire poulet à l'orange *Cuisine Minceur* de *Stouffer's* contient une cuillerée à table de carottes et autant de brocoli ! Wow !

Produits laitiers. Sauf pour les repas qui incluent du fromage (macaroni au fromage, lasagne, pizza ou autres), peu comprennent des produits laitiers et sont de bonnes sources de calcium.

Matières grasses. Même si la teneur en gras indiquée sur l'emballage semble faible, elle prend sa signification réelle lorsqu'on la compare à la teneur en calories du repas (il suffit de calculer la quantité de gras obtenue par 100 calories). Par exemple, avec ses 11 g de gras pour 299 calories, le repas de dinde en tranches *Savarin* n'est pas plus maigre que le macaroni au fromage *Lifestyle* de *Michelina's*, qui contient 14 g de gras pour 374 calories.

Sodium. La lasagne avec sauce à la viande *Piazza Tomasso* fournit 1 250 mg de sodium (soit la moitié du sodium recommandé dans toute une journée) pour seulement 409 calories. Encore une fois, c'est en comparant les teneurs en sodium et en calories qu'on peut le mieux évaluer l'apport en sodium d'un repas. Dommage que la teneur en sodium soit rarement indiquée sur l'emballage !

… ET DES SOLUTIONS !

Préférer les repas surgelés qui contiennent :

- un maximum de 3 g de gras dont 1 g de gras saturés pour chaque tranche de 100 calories (ce qui veut dire, pour un repas de 300 calories, 9 g de gras et 3 g de gras saturés ou moins) ;
- un maximum de 200 mg de sodium pour chaque tranche de 100 calories (c'est 600 mg de sodium ou moins pour un repas de 300 calories).

Si le repas a moins de 125 ml de légumes : l'accompagner d'une bonne grosse salade, d'un sachet de crudités, d'une soupe ou d'un jus de légumes.

S'il ne contient pas de fromage : le prendre avec un verre de lait, un yogourt maigre ou un morceau de fromage au lait écrémé.

Et s'il nous laisse sur notre appétit : le compléter avec une tartine de pain, quelques craquelins de grains entiers beurrés ou une poignée d'arachides.

C'EST POUR QUI ?

Les repas surgelés peuvent être utiles pour ceux qui, parce qu'ils sont seuls, malades, âgés ou pressés, n'ont pas l'envie, le moral, l'énergie, le temps, la motivation ou la capacité physique nécessaires pour cuisiner.

Les substituts de repas

Les boissons, poudres à mélanger et tablettes vendues comme substituts de repas (*Ensure*, *Boost*, *Nutribar* et compagnie) se partagent leur part d'un marché fort lucratif. Rien d'étonnant puisque selon la maison de sondage Léger et Léger, plus de un Québécois sur cinq en consomme !

SONT-ILS RÉGLEMENTÉS ?

La composition des substituts de repas est soumise aux normes de Santé Canada en ce qui concerne notamment la teneur minimale en calories, la teneur maximale en gras, la qualité et la quantité des protéines et la quantité d'une vingtaine de vitamines et de minéraux. Comme leur nom l'indique, les substituts de repas sont conçus pour *remplacer* un repas même si, paradoxalement, la réglementation fédérale permet un apport énergétique aussi faible que 225 calories !

QUE CONTIENNENT-ILS ?

D'abord du sucre, beaucoup de sucre. Qu'il soit sous la forme de glucose, de fructose, de dextrose, de sirop, de saccharose ou autres, le sucre est presque toujours l'ingrédient principal.

On retrouve aussi des protéines, le plus souvent de lait ou de soja.

Et des matières grasses, certaines bonnes (comme les huiles de canola, de tournesol, de maïs, de soja et de carthame), d'autres moins bonnes (comme l'huile de copra, les huiles végétales hydrogénées et le beurre de cacao).

On incorpore aussi à la plupart du chocolat ou du cacao pour la saveur et, dans les barres, du riz soufflé pour la texture de même que des noix, des raisins (ou autres fruits) secs ou du soja grillé.

Finalement, on « saupoudre » le tout de vitamines, de minéraux et d'additifs divers (agents stabilisants, épaississants et émulsifiants, colorants naturels ou artificiels et autres).

Et l'ingrédient miracle, celui qui *fait* maigrir ? Ne le cherchez pas. Lorsqu'on perd du poids avec ces produits, c'est uniquement parce qu'on mange moins de calories !

LES CONCURRENTS

Les suppléments nutritifs : ils sont conçus non pas pour *remplacer* mais pour *compléter* un repas, ce qui explique qu'ils renferment généralement moins de calories (la réglementation fédérale exige un minimum de 150 calories), de protéines, de vitamines ou de minéraux que les substituts de repas.

Les déjeuners instantanés : leur nom laisse croire qu'ils peuvent remplacer un repas (le déjeuner), mais la réglementation sur leur composition est beaucoup moins exigeante que celle des substituts de repas.

Les barres énergétiques : pour porter cette appellation, la réglementation fédérale précise qu'elles doivent fournir au moins 100 calories. C'est tout et bien peu.

CELA PEUT-IL REMPLACER UN REPAS ?

Oui et non…

Côté calories. Une portion de substitut de repas fournit en moyenne 250 calories, ce qui est bien inférieur à ce qu'un repas complet devrait apporter (600, 700 calories ou plus). À moins de rester sur sa faim, on risque fort de compenser pour les calories en moins en grignotant une heure plus tard.
Côté nutriments. Le contenu en protéines, en vitamines et en minéraux d'un substitut de repas peut équivaloir à celui d'un repas. Plusieurs formules contiennent toutefois 8 g de fibres ou moins pour 4 repas (l'équivalent de 1000 calories environ), alors que nous devrions en prendre de 25 à 35 g par jour. Mais surtout, aucune de ces imitations ne peut rivaliser avec les *vrais* aliments, qui renferment des centaines de substances qu'on est encore à découvrir.
Et le goût ? Même le chocolat peut devenir insipide lorsqu'on en consomme à tous les repas ! Alors qu'avec les aliments, on peut varier les plaisirs à l'infini…

C'EST POUR QUI ?

Les substituts de repas peuvent être pratiques pour certaines personnes, notamment pour :

- celles qui sauteraient le repas ou se gaveraient d'une tablette de chocolat ou autres friandises ;
- celles qui ont de la difficulté à manger suffisamment d'aliments pour combler leurs besoins nutritionnels, que ce soit :
  - parce qu'elles manquent d'appétit à cause d'une maladie, d'un deuil, d'une médication ou d'autres raisons particulières ; ou
  - parce que leurs besoins sont plus élevés qu'à l'habitude à cause d'un cancer, d'une infection importante, d'une chirurgie, d'un problème d'absorption intestinale ou autres.

En définitive

Les restaurants-minute, les repas surgelés et les substituts de repas devraient constituer des solutions de dépannage occasionnelles ou temporaires puisqu'ils apportent difficilement ce qu'un vrai repas devrait fournir.

Chapitre 7
Les repas en plein air

L'été, c'est la saison des repas en plein air. Mais c'est aussi la saison préférée des bactéries, qui ne prennent jamais de vacances, comme en témoigne chaque année la recrudescence des cas d'empoisonnements alimentaires. En vue de garder de bons souvenirs de nos pique-niques et autres petits festins extérieurs, voici des conseils pour choisir, conserver et manipuler de façon sécuritaire les aliments qui les composeront.

Le choix des aliments

- **Pour un seul repas ou une journée.** Consulter la section «Le choix des aliments» en p. 38.
- **Pour plus d'une journée.** À moins d'utiliser une glacière que l'on pourra ravitailler en glace, prévoir des aliments qui se gardent à la température ambiante (voir «Les aliments sûrs» en p. 36). Pour le déjeuner, choisir des mélanges secs pour crêpes, des muffins, des céréales prêtes à servir, du pain à griller ou des œufs liquides en boîte Tetra Pak plutôt que des œufs frais, du bacon ou du jambon. Et pour les collations, faire provision de pain, de beurre d'arachide, de fruits frais ou séchés, de barres de céréales et de mélanges de noix. Le lait en poudre ainsi que les jus, le bouillon et le lait en carton Tetra Pak sont pratiques pour boire ou pour cuisiner.

Les p'tits soins

Il est important de manipuler les aliments avec soin en tout temps. Mais il l'est particulièrement par temps chaud ou lorsque le repas sera consommé plusieurs heures après sa préparation. Les conseils de la section «Les p'tits soins» (en p. 38) et ces précautions supplémentaires y aideront.

Lors de la préparation

Que l'on parte pour un simple pique-nique ou pour la journée : préparer et réfrigérer la veille tout ce qui peut l'être. Le fait de refroidir à fond les aliments (même les aliments non périssables comme le pain, les muffins ou les fruits) leur permettra de rester froids plus longtemps dans la glacière ou le sac isolant.

Si on part pour plus d'une journée (en camping ou en randonnée) : congeler tout ce qui peut l'être, qu'il s'agisse d'aliments périssables ou non (viandes, charcuteries, mets cuisinés, sandwichs, pain, muffins, lait, jus et autres). Ils se conserveront plus longtemps tout en maintenant le contenu de la glacière froid.

Lors de l'emballage

Prévoir une glacière ou un sac isolant muni de contenants réfrigérants ou de glace.

Emballer les viandes crues dans des contenants en plastique hermétiques. Cela empêchera leurs jus de couler et de contaminer ainsi d'autres aliments, surtout ceux qui seront mangés sans cuisson.

Placer au fond de la glacière les aliments plus sensibles à la contamination. Voir «Les aliments à risque» en p. 37. Comme la chaleur monte et le froid descend, ils se conserveront mieux. Couvrir ces denrées de contenants réfrigérants. Puis ajouter les aliments moins périssables, comme les fruits, les crudités, les boîtes de jus, le pain ou le pot de moutarde. Prendre soin toutefois de mettre au fond de la glacière les articles les plus lourds et ceux que l'on destine à la fin du repas ou après, comme le dessert ou la collation de l'après-midi.

Lier ensemble les contenants empilés. Utiliser un foulard (on pourra l'utiliser lors du repas pour disposer certains mets) ou une ficelle. Cela les empêchera de se renverser et de se déplacer dans la glacière.

Ajouter les contenants réfrigérants ou la glace. Une glacière conventionnelle *ne refroidit pas*; elle ne fait que *garder froid*. D'où l'importance d'y placer des aliments déjà froids ainsi que de la glace ou quelques contenants réfrigérants. Ceux-ci maintiennent les aliments froids pendant 4 à 6 heures. La glace garde froid pendant 2 à 4 heures seulement, mais elle a l'avantage d'occuper moins d'espace.

Sur le site du repas

Dès l'arrivée, sortir la glacière de la voiture et la placer à l'ombre. Éviter de la laisser sur la banquette arrière ou dans le coffre de la voiture, qui peuvent devenir par temps chaud de véritables incubateurs pour bactéries!

Bien fermer le couvercle et éviter de l'ouvrir inutilement. Si cela est possible, on peut prévoir deux glacières, l'une pour les aliments périssables et l'autre (que l'on ouvre habituellement plus souvent) pour les boissons froides. Quant aux articles non périssables (lotions, trousse de secours, essuie-mains, sac à ordures), les garder ensemble, à part.

Recouvrir la glacière d'une couverture de couleur pâle. Elle agira comme isolant thermique.

Manger à l'ombre en glissant les réfrigérants sous les contenants d'aliments. Ces derniers resteront plus frais.

Dès le repas terminé, remettre les surplus dans la glacière. Se rappeler qu'un aliment périssable ne devrait pas rester plus de deux heures à la température ambiante, et même pas plus d'une heure lors d'une journée très chaude (32 °C ou 90 °F ou plus).

Question d'espace et de poids !

Nous consommons facilement chaque jour un kilo de nourriture par personne. Cela peut faire beaucoup d'aliments (et d'équipement!) lorsqu'on est nombreux ou que l'on part pour quelques jours en randonnée pédestre.

Pour les repas en famille : choisir de préférence quelques mets qui plaisent à tous plutôt que plusieurs plats en petites portions, qui prennent plus de place. Pour la même raison, opter pour les gros formats d'aliments (jus, lait, yogourt et autres) plutôt que pour les formats individuels.

Pour le camping ou les longues randonnées : prévoir des aliments déshydratés ou lyophilisés (séchés à froid) et des mets dont la préparation requiert peu d'équipement. Éviter les conserves. Calculer les quantités exactes d'aliments. Privilégier les sacs et les plats en plastique. Et limiter le matériel de cuisson.

Les indispensables

Pratiques, les articles énumérés ci-dessous devraient aussi être du voyage. On les gardera dans un panier en osier ou un sac de voyage et séparément des denrées périssables.

- Une nappe (certaines possèdent un revêtement de vinyle imperméable qui est utile lorsqu'on veut manger sur l'herbe), des pinces pour fixer la nappe à la table, des serviettes de table, des ustensiles et des verres en plastique (pour les occasions spéciales, on peut trouver des coupes à vin).
- Des essuie-mains, des débarbouillettes humides ou des serviettes humides jetables dans un sac en plastique.
- Un sac à ordures pour rapporter les déchets et quelques sacs en plastique propres pour les restes d'aliments.
- À défaut de la brosse à dents, de la gomme à mâcher sans sucre pour se nettoyer les dents après le repas.
- Et pour rendre le pique-nique encore plus agréable : des moustiquaires pour aliments (ils empêchent les insectes de nous embêter mais aussi de contaminer les aliments), une lotion antimoustiques, une crème solaire, une trousse de secours et un appareil photo !

Rien à rapporter !

Il est toujours agréable de revenir chez soi l'estomac plein… et les mains vides. Quelques trucs pour revenir sans bagage :

- **Préférer les aliments non périssables.** Voir « Les aliments sûrs » en page 36. Comme ils se gardent à la température ambiante pendant un certain temps, ils éliminent le besoin en contenants réfrigérants et en bouteilles isolantes.
- **Prévoir les quantités exactes d'aliments**. C'est la meilleure façon d'éviter les surplus et le gaspillage.
- **Prévoir des emballages jetables.** Du papier brun, du papier ciré, de la pellicule de plastique ou des sacs à sandwichs plutôt que des bouteilles isolantes et des contenants en plastique réutilisables. Les boissons vendues en berlingots ou en boîtes Tetra Pak et les aliments préemballés sont également très pratiques. Si on a besoin d'ustensiles (l'idéal étant de prévoir des aliments qui se mangent avec les doigts), opter pour un modèle en plastique bon marché.
- **Faire attention aux aliments très fragiles** (œufs durs, fruits mous, sandwichs et autres). Sans contenants en plastique rigides pour les transporter, ils sont vulnérables aux chocs.
- **S'assurer qu'il existe un endroit pour déposer les déchets.** Sinon, prévoir un sac à ordures pour les rapporter.

Chapitre 8
Pour une faim heureuse...

vec un soupçon d'imagination, un zeste d'inspiration, une pincée de judicieux conseils et les stratégies éprouvées que voici, nous nous assurerons que notre « beau lunch santé » finira dans l'estomac de notre bambin... et non dans la poubelle ! Certains lunchs « pour adultes » y trouveront également leur compte...

Bien marquer le matériel. Pour que la précieuse cargaison se retrouve au bon endroit au bon moment, inscrire le nom de l'enfant sur la boîte à lunch au moyen d'un ruban adhésif, d'une étiquette personnalisée ou d'un marqueur résistant à l'eau. Ne pas oublier d'en faire autant pour les bouteilles isolantes, les contenants en plastique, les ustensiles, la serviette de table en tissu et les autres accessoires, si on veut s'assurer qu'ils reviennent à la maison !

Égayer le matériel. On peut appliquer des autocollants amusants (personnages de bandes dessinées, étoiles, petits cœurs ou autres) sur la boîte à lunch, sur les contenants en plastique et sur les bouteilles isolantes. Une serviette de table, un verre, une paille ou un napperon rigolos peuvent aussi faire merveille pour aiguiser les petits appétits !

Souligner (ou créer) des occasions spéciales. Inclure un petit gâteau de fantaisie lors d'un anniversaire, un biscuit en forme de cœur à la Saint-Valentin ou un potage à la citrouille à l'Halloween. Glisser une étampe, un dessin, un autocollant, une figurine ou un biscuit chinois dans lequel on aura inséré un message. Ou une serviette de table en papier agrémentée d'un « Bonne fête », d'un « Bonne chance pour l'examen ! » ou d'un simple « À ce soir ! ». Il n'y a rien de mieux pour égayer l'humeur et faciliter la digestion.

Ne prenez pas de risque. Expérimenter ses nouvelles créations culinaires lors des repas à l'école ou au camp de jour, c'est risqué, surtout si elles sont destinées à un jeune enfant ! Si c'est trop différent ou qu'il n'aime carrément pas, il y a fort à parier qu'il s'en passera et restera sur sa faim. Et puis, il est sécurisant pour un enfant de retrouver dans son lunch les aliments qu'il connaît. Bien sûr, si fiston ne jure que par les sandwichs au jambon, rien n'empêche de lui faire essayer le pain kaiser, le pain *ciabatta* ou la tortilla...

Rajeunir l'image. Tailler les sandwichs et les tranches de fromage ou de viande froide avec un emporte-pièce. Et les crudités, avec des ustensiles pour décorations de légumes. Enfiler les cubes de fromage sur des baguettes en alternant avec des morceaux de fruits. Ou superposer quelques tranches de fromage de couleurs différentes et tailler en carrés, en triangles ou en bâtonnets. Combiner le pain blanc et le pain de blé entier dans les sandwichs. Rouler les tranches de jambon et autres viandes froides en y insérant au centre, une lanière de poivron ou de fromage, un petit cornichon ou une asperge cuite. Faire un sandwich roulé en utilisant un pain azyme, un pita ou une tortilla, puis couper en tranches. Autant de façons de donner à l'habituel une allure nouvelle.

Varier les textures. On prévoit des aliments mous : potage, omelette, béchamel, pâté chinois, macaroni, tartine de beurre d'arachide, yogourt, pouding ou autres. Équilibrer les textures en ajoutant un peu de croquant au menu : salade, crudités, craquelins de blé entier, pains-bâtons, noix, barre granola ou bouchées de fruits frais. Incorporer du céleri, des cornichons ou des oignons hachés dans les garnitures à sandwichs molles (à la viande hachée, aux œufs ou au fromage à la crème). Et des germes, de la laitue ou des tranches de concombre dans les sandwichs. Quant à la boîte de jus, au yogourt ou au pouding du commerce, pourquoi ne pas les congeler pour les déguster à la cuillère ?

Essayer un petit-déjeuner. Effet de surprise garanti ! Un contenant de muesli ou de granola accompagné d'un berlingot de lait ou d'un yogourt, un muffin, une tartine de beurre d'arachide ou de fromage, une gaufre grillée ou une crêpe accompagnée de fruits frais coupés, un muffin anglais garni d'un œuf, de fromage et de jambon (préparé d'avance, il suffit de le réchauffer à l'heure du lunch), un œuf dur, une orange en sections... ce sont là des classiques du matin qui peuvent se manger à toute heure du jour.

Offrir des portions réalistes. L'enfant a l'habitude de rapporter à la maison des portions d'aliments pratiquement intactes ? Il est peut-être simplement découragé par leur générosité. Essayer plutôt une variété de petites portions enveloppées séparément. Son plaisir en sera multiplié !

Rendre la vie facile. Peler et détailler en quartiers les oranges, couper en bouchées les crudités et les fruits (sauf ceux qui noircissent comme les pommes et les poires), tailler les sandwichs, beurrer le pain, préférer les mini-légumes (tomates cerises, carottes miniatures), retirer l'aliment d'un emballage difficile à ouvrir... bref alléger la tâche des petits affamés.

À propos des recettes

Les ingrédients

Voici les variantes que nous avons utilisées pour ces ingrédients et qui ont servi notamment au calcul des valeurs nutritives.

Lait et yogourt :	lait 1 % et yogourt 1 %
Œufs :	gros œufs
Huile :	huile d'olive, sauf lorsqu'il est précisé autrement
Farine :	farine tout usage (ou farine blanche)
Bouillon :	bouillon en poudre du commerce, dilué, sauf lorsqu'il est précisé autrement

Herbes fraîches et séchées

Dans la plupart des recettes, on peut remplacer les herbes fraîches par des herbes séchées ou l'inverse en utilisant une quantité deux à trois fois moindre d'herbes séchées que d'herbes fraîches.

Noix rôties

Le fait de rôtir les noix avant de les utiliser intensifie leur saveur. Lorsqu'une recette spécifie des noix « rôties », il suffit de faire griller la quantité indiquée au four préchauffé à 180 °C (350 °F) pendant 10 minutes ou jusqu'à ce qu'elles soient odorantes et légèrement colorées.

Les allégations nutritionnelles

La valeur nutritive de la majorité des recettes du livre s'accompagne de mentions qui se définissent de la façon suivante.

Excellente source de... : la portion indiquée fournit 25 % (50 % pour la vitamine C) ou plus de l'apport quotidien recommandé (AQR) pour la vitamine ou le minéral mentionné ou, s'il s'agit de fibres alimentaires, 6 g ou plus de fibres.

Bonne source de... : la portion indiquée fournit entre 15 % et 24 % (30 % à 49 % pour la vitamine C) de l'AQR pour la vitamine ou le minéral mentionné ou, s'il s'agit de fibres alimentaires, entre 4 g et 5,9 g de fibres.

Source de... : la portion indiquée fournit entre 5 % et 14 % de l'AQR pour la vitamine ou le minéral mentionné ou, s'il s'agit de fibres alimentaires, entre 2 g et 3,9 g de fibres.

Faible en gras : la portion indiquée fournit 3 g ou moins de matières grasses.

Des repères instantanés

La plupart des recettes sont marquées d'une ou de plusieurs indications fournissant des renseignements supplémentaires sur la recette.

Plat principal Une portion du mets fournit un minimum de 15 g de protéines et peut constituer le plat principal d'un repas.

Express On peut réaliser la recette en 15 minutes ou moins, temps de cuisson inclus.

Végétarien La recette comprend un substitut de viande (légumineuses, tofu, sans-viande-hachée, charcuteries végétariennes, œufs, noix ou graines) mais pas de viande, de volaille ou de poisson.

Chaud/froid Le mets peut se consommer froid ou chaud, au goût.

Se congèle Le plat peut se préparer à l'avance et se congeler. Pour plus d'informations sur les durées de congélation recommandées, consulter le tableau « Les aliments qui se congèlent » en page 23.

Soupes et potages

Quelle entrée en matière ! Les soupes et les potages apportent chaleur et réconfort en plus d'une bonne dose de vitamines, de minéraux, d'eau et souvent de fibres. Et ils peuvent même constituer un repas si on y inclut une source de protéines. Pour un apport réduit en sodium, utiliser un bouillon du commerce à teneur réduite en sodium ou un bouillon maison. La teneur en sodium a été calculée ici en utilisant un bouillon du commerce, plus communément utilisé mais plus salé.

Consommé tex-mex pronto

Accompagné d'un *quesadilla*, ce consommé vous transportera au pays du soleil, *caramba !*

PRÉPARATION : 10 MIN **CUISSON : 10 MIN** **4 PORTIONS DE 250 ML (1 TASSE)**

2	**tortillas de 15 cm (6 po) en lanières de 1 cm (1/2 po)**	**2**
5 ml	**chili en poudre**	**1 c. à thé**
2 ml	**cumin**	**1/2 c. à thé**
2 ml	**origan**	**1/2 c. à thé**
500 ml	**bouillon de poulet**	**2 tasses**
1	**boîte (284 ml/10 oz) de bouillon de légumes avec oignons plus la même quantité d'eau**	**1**
1	**gousse d'ail hachée**	**1**
	quelques gouttes de Tabasco	
1	**boîte (199 ml/7 oz) de maïs en grains égoutté**	**1**
	poivre	
45 ml	**coriandre ou persil haché ou 15 ml (1 c. à soupe) de persil séché**	**3 c. à soupe**
	quartiers de lime (facultatif)	

Disposer les lanières de tortilla sur une plaque de cuisson et cuire au four préchauffé à 200 °C (400 °F) 5 min ou jusqu'à ce qu'elles soient croustillantes. Réserver.

Dans un petit poêlon, faire revenir à sec le chili, le cumin et l'origan 30 à 40 s ou jusqu'à ce qu'ils soient odorants. Retirer du feu et réserver.

Dans une grande casserole, verser les bouillons et l'eau. Ajouter l'ail, les épices réservées, la sauce Tabasco et le maïs. Laisser mijoter 5 min. Poivrer et parsemer de coriandre.

Servir accompagné des lanières de tortilla grillées et de quartiers de lime.

Variante

Pour une soupe plus consistante, ajouter une demi-boîte de 540 ml (19 oz) de haricots noirs rincés et égouttés.

Truc

Dans le cas de la plupart des fines herbes, il vaut mieux ne les ajouter qu'en fin de cuisson car elles sont fragiles et perdent de leur qualité si on les fait cuire.

Saviez-vous que…

La coriandre possède une odeur tout à fait particulière, à la fois anisée et fétide, que l'on aime ou que l'on déteste. On l'utilise surtout dans les mets à la grecque, à l'indienne ou à la sud-américaine.

Par portion

Calories 96
Glucides 19 g
Protéines 3,4 g
Fibres alimentaires 2,1 g
Matières grasses 1,8 g
Sodium 1,301 mg

Source de vitamine A, d'acide folique, de vitamine C, de magnésium, de fer et de fibres
Faible en gras

Crème de palourdes et de fenouil

Plat principal

Quoi de plus réconfortant qu'un bon potage fumant pour accueillir ou affronter l'hiver!

PRÉPARATION: 10 MIN **CUISSON: 20 MIN** **8 PORTIONS DE 250 ML (1 TASSE)**

10 ml	**huile**	**2 c. à thé**
1	**oignon haché finement**	**1**
375 ml	**fenouil en dés (un petit bulbe)**	**1 1/2 tasse**
1	**grosse carotte en dés**	**1**
2	**grosses pommes de terre pelées, en dés**	**2**
250 ml	**bouillon de poulet ou de légumes**	**1 tasse**
2 ml	**sel**	**1/2 c. à thé**
1	**boîte (385 ml/14 oz) de lait évaporé sans gras**	**1**
2	**boîtes (142 g/5 oz) de petites palourdes égouttées**	**2**
250 ml	**lait**	**1 tasse**
1 ml	**graines de fenouil**	**1/4 c. à thé**
1	**pincée de cayenne**	**1**
45 ml	**persil haché ou 15 ml (1 c. à soupe) de persil séché**	**3 c. à soupe**
50 ml	**poivron rouge en dés**	**1/4 tasse**

Dans une casserole, chauffer l'huile à feu moyen. Ajouter l'oignon, le fenouil, la carotte et les pommes de terre et cuire en remuant souvent 10 min ou jusqu'à ce que l'oignon soit translucide.

Ajouter le bouillon et le sel, couvrir et laisser mijoter 10 min ou jusqu'à ce que les légumes soient tendres.

Réduire en purée lisse à l'aide du mélangeur. Remettre dans la casserole, ajouter le lait évaporé, les palourdes, le lait et les graines de fenouil. Réchauffer sans faire bouillir.

Saupoudrer de cayenne et garnir avec le hachis de persil et les dés de poivron rouge.

Variante

Remplacer les palourdes par 250 g (1/2 lb) de moules ou de morceaux de filet de saumon cuits.

Saviez-vous que...

Le lait évaporé est du lait dont environ 60 % de l'eau a été évaporée sous vide. Sa couleur est un peu plus foncée que celle du lait et sa saveur légèrement caramélisée.

Info nutritionnelle

Le lait évaporé sans gras ou écrémé donne une texture onctueuse aux soupes sans ajouter de matières grasses, contrairement à la crème.

Par portion

Calories 195
Glucides 28 g
Protéines 16 g
Fibres alimentaires 1,7 g
Matières grasses 2,8 g
Sodium 577 mg

Excellente source de vitamine A, de vitamine B_{12}, de vitamine C et de fer
Bonne source de calcium
Source d'acide folique et de magnésium
Faible en gras

Minestrone

Se congèle • Végétarien

Chiche en saveur, pas du tout! Cette soupe d'inspiration italienne, épaisse à souhait et colorée sera délicieuse garnie d'un peu de pesto et de parmesan râpé.

PRÉPARATION : 10 MIN **CUISSON : 20 MIN** **8 PORTIONS DE 375 ML (1 1/2 TASSE)**

15 ml	**huile**	**1 c. à soupe**
1	**oignon moyen haché finement**	**1**
1	**gousse d'ail hachée finement**	**1**
1	**carotte en dés**	**1**
500 ml	**bouillon de poulet ou de légumes**	**2 tasses**
1	**boîte (796 ml/28 oz) de tomates en dés**	**1**
1	**boîte (540 ml/19 oz) de pois chiches rincés et égouttés**	**1**
1	**courgette en dés**	**1**
125 ml	**petites nouilles non cuites**	**1/2 tasse**
15 ml	**basilic haché**	**1 c. à soupe**
	ou 5 ml (1 c. à thé) de basilic séché	
45 ml	**persil haché ou 15 ml (1 c. à soupe) de persil séché**	**3 c. à soupe**
	parmesan râpé	

Dans une casserole, chauffer l'huile à feu moyen. Ajouter l'oignon, l'ail et la carotte. Cuire en remuant souvent pendant 5 min.

Ajouter le bouillon et les tomates et amener à ébullition.

Pendant ce temps, réduire 250 ml (1 tasse) de pois chiches en purée avec 125 ml (1/2 tasse) d'eau. Verser dans la soupe.

Baisser le feu, ajouter le reste des pois chiches, les dés de courgette et les nouilles et laisser mijoter 10 min ou jusqu'à ce que les nouilles soient cuites.

Incorporer le basilic et le persil.

Servir avec du parmesan.

Trucs

Pour une soupe moins épaisse, ajouter du jus de tomate, du bouillon ou de l'eau.

Le fait de réduire une partie des pois chiches en purée permet de mieux les faire « passer » ; Isabelle en a fait la preuve avec ses enfants, qui adorent cette soupe!

Dans la plupart des recettes, on peut remplacer les légumineuses sèches par des légumineuses en conserve. Comme celles-ci sont déjà cuites, il s'agit de les ajouter à la fin de la cuisson. 250 ml (1 tasse) de légumineuses sèches équivalent à 500 à 750 ml (2 à 3 tasses) de légumineuses cuites ou à une boîte de 540 ml (19 oz) de légumineuses en conserve.

Par portion

Calories 165
Glucides 27 g
Protéines 7,0 g
Fibres alimentaires 3,8 g
Matières grasses 3,6 g
Sodium 565 mg

Excellente source de vitamine A et d'acide folique
Bonne source de magnésium et de fer
Source de vitamine C, de calcium et de fibres

Potage au brocoli et à la pomme

La pomme donne une saveur surprenante à cette soupe.

PRÉPARATION : 10 MIN **CUISSON : 25 MIN** **8 PORTIONS DE 250 ML (1 TASSE)**

Truc

Peler les tiges de brocoli pour enlever la partie fibreuse, et les utiliser dans d'autres recettes.

Saviez-vous que…

Aucun colorant, sel, agent de conservation ou autre additif n'est ajouté aux légumes surgelés.

Info nutritionnelle

Les légumes surgelés sont cueillis à pleine maturité, au moment où ils sont au summum de leur saveur et de leur valeur nutritive. Puis, ils sont blanchis à la vapeur et surgelés dans les trois heures suivant la récolte. Ils peuvent donc être tout aussi nutritifs que les produits frais.

Par portion

Calories 135
Glucides 15 g
Protéines 7,3 g
Fibres alimentaires 3,0 g
Matières grasses 5,8 g
Sodium 300 mg

Excellente source de vitamine C
Bonne source de vitamine A, de vitamine B_{12}, d'acide folique et de calcium
Source de magnésium, de fer et de fibres

10 ml	**huile**	**2 c. à thé**
2	**poireaux moyens hachés**	**2**
2	**gousses d'ail hachées**	**2**
500 ml	**lait**	**2 tasses**
250 ml	**bouillon de poulet ou de légumes**	**1 tasse**
750 ml	**brocoli frais ou surgelé, en morceaux**	**3 tasses**
1	**pomme de terre moyenne pelée, en dés**	**1**
1	**pomme pelée, en dés**	**1**
	sel et poivre	
50 ml	**crème 15 %**	**1/4 tasse**
125 ml	**cheddar extra-fort râpé**	**1/2 tasse**

Dans une casserole, chauffer l'huile à feu moyen.

Ajouter les poireaux et cuire en remuant souvent pendant 5 min ou jusqu'à ce qu'ils aient légèrement bruni.

Ajouter l'ail et cuire encore 1 min. Incorporer le lait, le bouillon, le brocoli, la pomme de terre et la pomme et laisser mijoter, sans faire bouillir, 15 min ou jusqu'à ce que les légumes soient cuits.

Réduire en purée au mélangeur.

Remettre dans la casserole. Saler et poivrer.

Réchauffer doucement. Servir en ajoutant dans chaque assiette de la crème et du fromage râpé.

Potage émeraude

Les épinards donnent une couleur vibrante à cette soupe nourrissante. Ajoutez-y quelques croûtons pour lui donner du croquant!

PRÉPARATION : 10 MIN | **CUISSON : 20 MIN** | **5 PORTIONS DE 250 ML (1 TASSE)**

10 ml	**huile**	**2 c. à thé**
1	**poireau ou oignon moyen haché**	**1**
1	**pomme de terre pelée, en dés**	**1**
1	**sac de 300 g/10 oz d'épinards frais équeutés et lavés**	**1**
500 ml	**bouillon de poulet ou de légumes**	**2 tasses**
250 ml	**lait**	**1 tasse**
30 ml	**ciboulette hachée ou 10 ml (2 c. à thé) de ciboulette séchée**	**2 c. à soupe**
	sel et poivre	
50 ml	**crème 15 %**	**1/4 tasse**

Dans une casserole, chauffer l'huile à feu moyen.

Ajouter le poireau et la pomme de terre. Cuire en remuant souvent pendant 5 min.

Ajouter les épinards et le bouillon. Couvrir et laisser mijoter 15 min ou jusqu'à ce que les légumes soient tendres.

Passer les légumes au mélangeur.

Remettre dans la casserole, incorporer le lait et la ciboulette. Saler et poivrer. Réchauffer doucement, sans faire bouillir.

Servir chaque portion de soupe avec 10 ml (2 c. à thé) de crème.

Trucs

Dans les potages, utiliser une pomme de terre pour épaissir le mélange au lieu d'un roux (un mélange de farine et de beurre), plus riche.

Pour nettoyer un poireau, le couper en deux jusqu'à 2 cm (3/4 po) de la base et le rincer sous l'eau froide en séparant les feuilles pour retirer la terre.

Saviez-vous que...

Règle générale, plus un légume vert est foncé, plus il est riche en vitamines, en minéraux et en pigments de couleur (la chlorophylle, la lutéine et le bêta-carotène) que l'on associe à la prévention de maladies comme le cancer et la maladie cardiaque.

Par portion

Calories 107
Glucides 12 g
Protéines 5,1 g
Fibres alimentaires 2,5 g
Matières grasses 5,0 g
Sodium 710 mg

Excellente source de vitamine A, d'acide folique et de magnésium
Bonne source de vitamine C et de fer
Source de vitamine B_{12}, de calcium et de fibres

Scone aux olives noires, au parmesan et aux pignons *Potage émeraude*

Soupe au bœuf et à l'orge

Plat principal • Se congèle

À la soupe! Rien de mieux pour récupérer un reste de rôti de bœuf. Accompagner d'une bonne tranche de pain de campagne.

PRÉPARATION : 15 MIN | **CUISSON : 30 MIN** | **7 PORTIONS DE 375 ML (1 1/2 TASSE)**

15 ml	**huile**	**1 c. à soupe**
1	**poireau ou oignon moyen haché**	**1**
1	**pomme de terre non pelée, en dés**	**1**
2	**carottes en rondelles**	**2**
750 ml	**bouillon de bœuf**	**3 tasses**
1	**boîte (796 ml/28 oz) de tomates en dés**	**1**
1 ml	**flocons de piment**	**1/4 c. à thé**
2	**feuilles de laurier**	**2**
300 g	**bœuf cuit en cubes**	**10 oz**
125 ml	**orge mondé**	**1/2 tasse**
50 ml	**lentilles brunes sèches (facultatif)**	**1/4 tasse**
50 ml	**persil haché ou 15 ml (1 c. à soupe) de persil séché**	**1/4 tasse**
	poivre	

Dans une casserole, chauffer l'huile à feu moyen.

Ajouter le poireau, la pomme de terre et les carottes. Cuire en remuant souvent pendant 5 min.

Ajouter le bouillon, les tomates, les flocons de piment et les feuilles de laurier, et amener à ébullition.

Baisser le feu, ajouter le bœuf, l'orge et les lentilles et laisser mijoter 20 min ou jusqu'à ce que l'orge soit cuit.

Incorporer le persil, poivrer et servir.

Info nutritionnelle

L'orge mondé est plus nutritif que l'orge perlé, qui a perdu le son et le germe.

Par portion

Calories 420
Glucides 76 g
Protéines 20 g
Fibres alimentaires 7,7 g
Matières grasses 5,1 g
Sodium 849 mg

Excellente source de vitamine A, de vitamine B_{12}, de magnésium, de fer et de fibres
Bonne source de vitamine C
Source de calcium

Soupe aux boulettes mexicaines

Plat principal • Se congèle

Cette soupe nourrissante et épicée sera délicieuse accompagnée de pointes de tortillas croustillantes.

PRÉPARATION : 15 MIN **CUISSON : 25 MIN** **6 PORTIONS DE 375 ML (1 1/2 TASSE)**

Une longueur d'avance

Les boulettes peuvent se préparer à l'avance et se congeler.

Trucs

Pour un piment moins « incendiaire », enlever les membranes blanches et les graines, avec des gants de préférence.

Pour moins de gras, dégraisser la soupe en la laissant refroidir au réfrigérateur puis en retirant la couche qui se sera formée à la surface. Si vous n'avez pas le temps de laisser refroidir, prélevez le maximum de gras avec une petite louche. Puis, prenez un morceau de papier absorbant et passez-le à la surface du liquide afin de retirer le gras restant.

Par portion

Calories 323
Glucides 34 g
Protéines 22 g
Fibres alimentaires 3,8 g
Matières grasses 11 g
Sodium 1 017 mg

Excellente source de vitamine A et de vitamine B_{12}
Bonne source d'acide folique, de vitamine C, de magnésium et de fer
Source de calcium et de fibres

Dans un bol, mélanger le bœuf, l'œuf, le chili, le cumin, les flocons de piment, la sauce chili et le germe de blé. Façonner en une trentaine de boulettes et réserver au froid.

Dans une casserole, chauffer l'huile à feu moyen. Ajouter l'oignon, l'ail, les carottes et le piment. Cuire 5 min ou jusqu'à ce que les oignons soient translucides.

Ajouter le bouillon, les tomates et la feuille de laurier. Amener à ébullition, ajouter les boulettes et le riz et laisser mijoter à découvert pendant 20 min.

Ajouter le maïs en grains et réchauffer doucement. Poivrer et servir.

500 g	bœuf haché maigre	1 lb
1	œuf	1
10 ml	chili en poudre	2 c. à thé
5 ml	cumin	1 c. à thé
1 ml	flocons de piment	1/4 c. à thé
45 ml	sauce chili	3 c. à soupe
30 ml	germe de blé nature ou chapelure	2 c. à soupe
10 ml	huile	2 c. à thé
1	gros oignon haché	1
2	gousses d'ail hachées finement	2
2	carottes en fines rondelles	2
1	piment jalapeño épépiné, haché finement (facultatif)	1
750 ml	bouillon de bœuf	3 tasses
1	boîte (796 ml/28 oz) de tomates en dés	1
1	feuille de laurier	1
125 ml	riz non cuit	1/2 tasse
1	boîte (199 ml/7 oz) de maïs en grains égoutté	1
	poivre	

Soupe aux lentilles au parfum d'orange

Se congèle • Végétarien

Cette soupe nourrissante et délicieusement parfumée peut aussi se préparer avec 250 ml (1 tasse) de lentilles sèches. Le temps de cuisson sera sensiblement le même.

PRÉPARATION: 10 MIN | **CUISSON: 25 MIN** | **7 PORTIONS DE 375 ML (1 1/2 TASSE)**

15 ml	huile	1 c. à soupe
1	oignon haché	1
1	poireau, partie blanche seulement, haché	1
2	branches de céleri en dés	2
2	carottes en dés	2
2	gousses d'ail hachées	2
1	boîte (540 ml/19 oz) de tomates en dés	1
1	boîte (540 ml/19 oz) de lentilles rincées et égouttées	1
1	zeste d'orange de 8 cm (3 po) de long	1
2 ml	cumin	1/2 c. à thé
1 l	bouillon de poulet ou de légumes	4 tasses
1	feuille de laurier	1
5 ml	origan	1 c. à thé
125 ml	persil haché ou 45 ml (3 c. à soupe) de persil séché	1/2 tasse
	poivre	

Dans une casserole, chauffer l'huile à feu moyen.

Ajouter l'oignon, le poireau, le céleri et les carottes. Cuire en remuant souvent pendant 10 min ou jusqu'à ce que les légumes soient tendres.

Ajouter l'ail et cuire encore 1 min. Incorporer les tomates, les lentilles, le zeste d'orange, le cumin, le bouillon de poulet, la feuille de laurier et l'origan. Laisser mijoter, en couvrant partiellement, pendant 15 min.

Retirer le zeste et la feuille de laurier. Incorporer le persil, poivrer et servir.

Truc

Les fruits et les légumes sont souvent aspergés de cire pour réduire la perte d'humidité. Même si cette cire est comestible, il est préférable de les brosser ou de les frotter sous l'eau courante. Ne pas oublier les agrumes lorsqu'on veut utiliser leur zeste.

Saviez-vous que...

L'origan est une variété sauvage de marjolaine. Ces deux herbes font partie du mélange appelé « herbes de Provence ».

Info nutritionnelle

Les légumineuses aident à réduire la consommation de viande. Elles regorgent de protéines, d'acide folique, de fer, de magnésium, de potassium et de fibres. Elles renferment peu de gras et pas de cholestérol.

Par portion

Calories 158
Glucides 26 g
Protéines 8,4 g
Fibres alimentaires 5,4 g
Matières grasses 3,3 g
Sodium 881 mg

Excellente source de vitamine A, d'acide folique et de fer
Bonne source de vitamine C, de magnésium et de fibres
Source de calcium

Soupe au poulet et aux nouilles

Plat principal • Se congèle

Pour une sensation d'apaisement et de réconfort assurée, quoi de mieux qu'une bonne soupe poulet et nouilles?

PRÉPARATION: 10 MIN **CUISSON: 25 MIN** **6 PORTIONS DE 375 ML (1 1/2 TASSE)**

Variante

Pour une version «poulet et riz», remplacer les nouilles par 125 ml (1/2 tasse) de riz non cuit.

Saviez-vous que...

Un bon bouillon de poulet chaud peut soulager certains symptômes du rhume. Les vapeurs ou certains ingrédients aromatiques qu'il dégage sembleraient décongestionner les voies nasales. On n'a rien à perdre à essayer!

Par portion

Calories 189
Glucides 15 g
Protéines 22 g
Fibres alimentaires 2,2 g
Matières grasses 4,1 g
Sodium 1 260 mg

Excellente source de vitamine A
Bonne source d'acide folique et de magnésium
Source de vitamine B_{12}, de vitamine C, de fer et de fibres

10 ml	**huile**	**2 c. à thé**
1	**oignon moyen en dés**	**1**
1	**grosse carotte en dés**	**1**
2	**branches de céleri en dés**	**2**
250 ml	**chou vert émincé**	**1 tasse**
1,5 l	**bouillon de poulet**	**6 tasses**
500 ml	**poulet cuit, en bouchées**	**2 tasses**
125 ml	**petites pâtes non cuites**	**1/2 tasse**
	poivre	
30 ml	**persil haché ou 10 ml (2 c. à thé) de persil séché**	**2 c. à soupe**

Dans une casserole, chauffer l'huile à feu moyen. Ajouter l'oignon, la carotte, le céleri et le chou.

Cuire en remuant souvent pendant 10 min ou jusqu'à ce que l'oignon soit translucide.

Ajouter le bouillon et amener à ébullition. Baisser le feu, ajouter le poulet et les pâtes et laisser mijoter 10 min ou jusqu'à ce que les pâtes soient cuites.

Poivrer et incorporer le persil avant de servir.

Soupe vietnamienne au poulet (Pho Ga)

Plat principal

La petite quantité d'huile de sésame rehausse énormément le goût de cette soupe sans ajouter beaucoup de matières grasses.

PRÉPARATION : 15 MIN | **CUISSON : 15 MIN** | **5 PORTIONS DE 375 ML (1 1/2 TASSE)**

1 l	bouillon de poulet	4 tasses
500 ml	eau	2 tasses
2	morceaux de 2 cm (3/4 po) de gingembre pelé	2
1 ml	flocons de piment	1/4 c. à thé
30 ml	sauce soja légère	2 c. à soupe
15 ml	sauce aux huîtres (facultatif)	1 c. à soupe
5 ml	huile de sésame	1 c. à thé
375 ml	poulet cuit, émincé	1 1/2 tasse
6	épis de maïs miniatures coupés en deux dans le sens de la longueur	6
1	carotte râpée	1
500 ml	chou vert ou chou chinois émincé	2 tasses
1	paquet (85 g/3 oz) de nouilles orientales instantanées (nouilles *ramen* sèches) sans le sachet d'assaisonnement	1
45 ml	jus de citron	3 c. à soupe
50 ml	oignons verts hachés	1/4 tasse
6	feuilles de menthe hachées ou 5 ml (1 c. à thé) de menthe séchée	6
	poivre	

Dans une casserole, mettre le bouillon de poulet, l'eau, le gingembre, le piment, la sauce soja, la sauce aux huîtres, l'huile de sésame et le poulet, et amener à ébullition.

Baisser le feu, ajouter les légumes et laisser mijoter 3 min. Ajouter les nouilles et le jus de citron et mélanger pour défaire les nouilles. Incorporer les oignons verts et les feuilles de menthe. Poivrer et servir.

Variantes

Remplacer le poulet par la même quantité de crevettes cuites ou par 250 g (1/2 lb) de tofu extra-ferme coupé en cubes.

Remplacer les nouilles *ramen* par des vermicelles de riz.

Truc

Pour moins de sodium, utiliser un bouillon de poulet maison et une sauce soja à teneur réduite en sodium ou encore diluer le bouillon en conserve davantage que ne le recommande le fabricant.

Saviez-vous que...

Au Vietnam, les soupes-repas à base de nouilles s'appellent *Pho*, tandis que celles à base de riz s'appellent *Chai*.

Par portion

Calories 200
Glucides 23 g
Protéines 21 g
Fibres alimentaires 1,5 g
Matières grasses 3,1 g
Sodium 1 441 mg

Excellente source de vitamine A
Bonne source de vitamine C
Source de vitamine B_{12}, d'acide folique, de magnésium et de fer

Soupe vietnamienne au poulet (Pho Ga)

Tortellinis et épinards en soupe

Se congèle

On peut aussi préparer cette soupe en utilisant des raviolis ou des gnocchis. La servir avec un scone aux olives noires et aux pignons (voir p.130).

PRÉPARATION : 5 MIN | **CUISSON : 25 MIN** | **8 PORTIONS DE 250 ML (1 TASSE)**

10 ml	**huile**	**2 c. à thé**
1	**gros oignon haché**	**1**
2	**gousses d'ail hachées**	**2**
1/2	**boîte de 300 g (10 oz) d'épinards hachés surgelés**	**1/2**
1	**boîte (796 ml/28 oz) de tomates en dés**	**1**
1 l	**bouillon de poulet**	**4 tasses**
500 ml	**tortellinis au fromage surgelés non cuits**	**2 tasses**
15 ml	**pesto**	**1 c. à soupe**
	parmesan râpé	

Dans une casserole, chauffer l'huile à feu moyen.

Ajouter l'oignon, l'ail et les épinards. Couvrir et cuire 10 min ou jusqu'à ce que les épinards soient dégelés.

Découvrir et poursuivre la cuisson pendant 5 min ou jusqu'à ce que les oignons soient tendres.

Ajouter les tomates et le bouillon, et amener à ébullition.

Ajouter les tortellinis et cuire 10 min.

Incorporer le pesto et servir avec du parmesan.

Saviez-vous que...

En italien, le mot *pesto* signifie « broyé », car on obtient traditionnellement le pesto en broyant les ingrédients dans un mortier. Le pesto classique est à base de basilic, mais on en trouve maintenant dans le commerce à base de coriandre ou de tomates séchées.

Info nutritionnelle

Les épinards surgelés conservent une bonne part des nutriments présents dans les épinards frais : acide folique, fer, calcium, caroténoïdes, vitamine C et autres. Et ils sont déjà nettoyés !

Par portion

Calories 125
Glucides 17 g
Protéines 5,1 g
Fibres alimentaires 1,9 g
Matières grasses 4,7 g
Sodium 1 027 mg

Bonne source de vitamine A et d'acide folique
Source de magnésium, de calcium et de fer

Vinaigrettes, trempettes et sauces

Ces nectars n'ont qu'une ambition : rehausser le goût, l'apparence et même la valeur nutritive des plats qu'ils accompagnent. On prépare à l'avance la quantité nécessaire pour la semaine et on réfrigère dans un pot bien hermétique.

Hoummos

Le hoummos traditionnel se compose de pois chiches, de pâte de sésame, de tahini, d'ail, de jus de citron et d'huile d'olive. Voici une version simplifiée de ce condiment très apprécié au Moyen-Orient.

PRÉPARATION : 10 MIN **500 ML (2 TASSES)**

1	**boîte (540 ml/19 oz) de pois chiches rincés et égouttés**	1
45 ml	**jus de citron**	3 c. à soupe
5 ml	**huile de sésame**	1 c. à thé
2 ml	**cumin**	1/2 c. à thé
1 ml	**coriandre moulue**	1/4 c. à thé
125 ml et plus	**eau**	1/2 tasse et plus
15 ml	**graines de sésame**	1 c. à soupe
	sel et poivre	

Au mélangeur, réduire les pois chiches en purée avec le jus de citron, l'huile de sésame, le cumin et la coriandre. Ajouter de l'eau jusqu'à l'obtention de la texture désirée.

Transférer dans un bol et incorporer les graines de sésame. Saler et poivrer.

Variante

Ajouter 1 gousse d'ail en même temps que les pois chiches.

Saviez-vous que…

Dans certains pays du Moyen-Orient, la coriandre moulue s'emploie comme épice de table, au même titre que le sel.

Les herbes et les épices séchées et moulues conservent leur saveur et leur fraîcheur pendant environ un an. Les garder dans des contenants hermétiques placés dans un endroit sombre, frais et sec. Éviter le réfrigérateur ainsi que les armoires situées au-dessus de la cuisinière.

Par portion de 30 ml

Calories 40
Glucides 6,1 g
Protéines 2,0 g
Fibres alimentaires 0,8 g
Matières grasses 1,1 g
Sodium 2 mg

Bonne source d'acide folique
Source de fer
Faible en gras

Mayonnaise à l'avocat

Ultra-rapide à préparer, cette mayonnaise fera fureur dans les sandwichs au poulet grillé ou comme trempette pour les crudités.

PRÉPARATION : 5 MIN | **250 ML (1 TASSE)**

Trucs

Comme la plupart des avocats sont cueillis lorsqu'ils sont encore fermes, planifier leur utilisation afin qu'ils aient le temps de mûrir. Ils sont à point lorsqu'ils cèdent sous une légère pression des doigts.

Arroser la pulpe de l'avocat de jus de citron ou de vinaigre pour l'empêcher de noircir au contact de l'air. Si la mayonnaise change tout de même légèrement de couleur en surface, sa saveur n'en sera pas affectée. Il suffit alors de la mélanger avant de l'utiliser.

Info nutritionnelle

Du gras, cette sauce en contient. Mais il s'agit de bons gras insaturés.

Par portion de 30 ml

Calories 56
Glucides 2,4 g
Protéines 0,5 g
Fibres alimentaires 0,6 g
Matières grasses 5,3 g
Sodium 38 mg

Source d'acide folique

1	**avocat moyen**	**1**
45 ml	**mayonnaise légère**	**3 c. à soupe**
15 ml	**jus de citron ou de lime**	**1 c. à soupe**
	sel et poivre	

Au mélangeur, réduire la chair de l'avocat en purée lisse.

Verser dans un bol puis incorporer la mayonnaise et le jus de citron. Saler et poivrer.

Mayonnaise citronnée

Citron que c'est bon! À essayer dans les sandwichs aux œufs, au poulet ou au thon, dans les salades de pâtes ou de pommes de terre, ou comme trempette pour les crudités et les croustilles au sésame!

PRÉPARATION: 5 MIN **200 ML (3/4 TASSE)**

125 ml	**yogourt nature**	**1/2 tasse**
45 ml	**mayonnaise légère**	**3 c. à soupe**
10 ml	**jus de citron**	**2 c. à thé**
30 ml	**persil haché**	**2 c. à soupe**
30 ml	**ciboulette hachée**	**2 c. à soupe**
1 ml	**zeste de citron**	**1/4 c. à thé**
	sel et poivre	

Croustilles au sésame

4	**pitas**	**4**
	huile	
	graines de sésame	

Dans un petit bol, mélanger le yogourt, la mayonnaise, le jus de citron, le persil, la ciboulette et le zeste de citron. Saler et poivrer.

Pour les croustilles, séparer les deux épaisseurs des pitas. Couper chacune en quartiers. Vaporiser d'huile et saupoudrer de graines de sésame. Cuire au four préchauffé à 200 °C (400 °F) 5 min ou jusqu'à ce que le pain soit croustillant.

Variante

Ajouter 2 gousses d'ail hachées finement pour obtenir une sauce aïoli citronnée express, une mayonnaise provençale délicieuse avec du poulet.

Trucs

Ajouter à cette sauce du cari, du chili en poudre ou du paprika, en badigeonner du poulet sans peau et faire rôtir au four. Un délice!

Pour éviter de chercher inutilement le petit pot de vinaigrette ou de mayonnaise, le placer à l'intérieur du plat à salade ou à sandwich ou, si l'espace manque, sur le couvercle en le fixant à l'aide de ruban adhésif.

Par portion de 30 ml

Calories 34
Glucides 2,2 g
Protéines 1,1 g
Fibres alimentaires 0,1 g
Matières grasses 2,4 g
Sodium 59 mg

Source de vitamine B_{12}
Faible en gras

Sauce aigre-douce

Le secret est dans la sauce! Très polyvalente, celle-ci est délicieuse avec des côtelettes de porc, des poitrines de poulet, des steaks de jambon ou des croquettes de poulet. Elle peut également servir de marinade pour la viande ou la volaille.

PRÉPARATION : 5 MIN | **CUISSON : 5 MIN** | **300 ML (1 1/4 TASSE)**

Par portion de 30 ml

Calories 35
Glucides 8,4 g
Protéines 0,4 g
Fibres alimentaires 0,1 g
Matières grasses 0,0 g
Sodium 62 mg

Source d'acide folique
et de vitamine C
Sans matière grasse

30 ml	**fécule de maïs**	**2 c. à soupe**
250 ml	**jus d'orange ou jus de mangue et d'orange**	**1 tasse**
15 ml	**sauce soja**	**1 c. à soupe**
50 ml	**sauce chinoise aux prunes**	**1/4 tasse**
15 ml	**miel ou sucre**	**1 c. à soupe**
2	**gousses d'ail hachées finement**	**2**
	quelques gouttes de Tabasco	

Dans un petit bol, délayer la fécule dans le jus.

Ajouter la sauce soja, la sauce aux prunes, le sucre et l'ail. Relever le goût en incorporant des gouttes de Tabasco.

Verser dans un poêlon antiadhésif et cuire à feu moyen en fouettant constamment jusqu'au point d'ébullition.

Baisser le feu et laisser mijoter 5 min ou jusqu'à ce que la sauce ait épaissi.

Sauce rémoulade

Cette rémoulade fera des remous avec un reste de poisson cuit, comme vinaigrette ou en garniture à sandwich.

PRÉPARATION : 5 MIN | **150 ML (2/3 TASSE)**

45 ml	mayonnaise légère	3 c. à soupe
50 ml	tomates hachées	1/4 tasse
1	oignon vert haché	1
30 ml	yogourt nature	2 c. à soupe
2 ml	moutarde forte	1/2 c. à thé
10 ml	câpres hachées	2 c. à thé
2 ml	sauce Worcestershire	1/2 c. à thé
	poivre	

Dans un petit bol, mélanger tous les ingrédients. Poivrer.

Saviez-vous que…

La sauce Worcestershire, un condiment anglais, est faite de vinaigre de malt, de mélasse, d'échalote, d'ail, de tamarin, de girofle, d'essence d'anchois et d'extrait de viande.

Les câpres sont les boutons floraux du câprier, une plante originaire de la région méditerranéenne. Plus elles sont petites, plus elles sont tendres, plus leur saveur est délicate et plus elles sont chères!

Par portion de 30 ml

Calories 34
Glucides 1,7 g
Protéines 0,5 g
Fibres alimentaires 0,1 g
Matières grasses 2,9 g
Sodium 109 mg

Faible en gras

Trempette aux champignons

« Encore des légumes! » crieront les enfants. Pour faire changement des traditionnels champignons blancs (ou champignons de Paris), en remplacer une partie par des champignons sauvages.

PRÉPARATION : 15 MIN **375 ML (1 1/2 TASSE)**

Variante

Incorporer 50 ml (1/4 tasse) de noix de Grenoble ou de pacanes grillées et hachées pour une texture croquante.

Trucs

Conserver les champignons dans un sac en papier ou perforer l'emballage de plastique pour laisser s'échapper l'excès d'humidité qui nuit à leur conservation. Les réfrigérer sans les nettoyer.

Pour une saveur de champignon incomparable, réduire 2 ou 3 champignons déshydratés en fine poudre et ajouter à la trempette. Attendre au moins 30 min avant de déguster pour permettre aux saveurs de bien se développer.

Par portion de 30 ml

Calories 33
Glucides 1,8 g
Protéines 1,3 g
Fibres alimentaires 0,2 g
Matières grasses 1,8 g
Sodium 51 mg

Faible en gras

Dans un poêlon, faire revenir dans l'huile l'oignon, les champignons et le thym jusqu'à ce que l'eau des légumes se soit évaporée.

Transférer dans un bol et incorporer le yogourt, le fromage à la crème, la crème sure et la mayonnaise jusqu'à ce que le mélange soit homogène. Saler et poivrer.

Couper les tortillas en lanières et les faire griller au four environ 3 min ou jusqu'à ce qu'elles soient croustillantes.

Servir la trempette avec les croustilles de tortillas et des crudités.

5 ml	**huile**	**1 c. à thé**
50 ml	**oignon rouge haché**	**1/4 tasse**
375 ml	**champignons hachés**	**1 1/2 tasse**
1 ml	**thym**	**1/4 c. à thé**
125 ml	**yogourt nature**	**1/2 tasse**
50 ml	**fromage à la crème allégé ramolli**	**1/4 tasse**
50 ml	**crème sure allégée**	**1/4 tasse**
15 ml	**mayonnaise légère**	**1 c. à soupe**
	sel et poivre	
3	**tortillas de 25 cm (10 po) de diamètre**	**3**
	crudités variées	

Trempette à l'arachide

Une sauce à l'orientale que les amateurs de beurre de « pinottes » apprécieront!

PRÉPARATION : 5 MIN **75 ML (1/3 TASSE)**

30 ml	**beurre d'arachide crémeux**	**2 c. à soupe**
15 ml	**sauce soja légère**	**1 c. à soupe**
15 ml	**mayonnaise légère**	**1 c. à soupe**
15 ml	**cassonade**	**1 c. à soupe**
15 ml	**jus de citron**	**1 c. à soupe**

Dans un bol, mélanger tous les ingrédients. Si la trempette est trop épaisse, ajouter de 15 à 30 ml (1 à 2 c. à soupe) d'eau.

Info nutritionnelle

Ordinaire ou naturel, les deux types de beurre d'arachide sont de bons choix. Il est vrai qu'on ajoute de l'huile hydrogénée (une source de « mauvais » gras trans) au beurre d'arachide ordinaire, ce qui empêche l'huile de remonter à la surface. Or, la quantité ajoutée est si petite que la teneur en gras trans du beurre d'arachide demeure inférieure à 0,01 % !

Par portion de 30 ml

Calories 122
Glucides 9,6 g
Protéines 3,9 g
Fibres alimentaires 0,8 g
Matières grasses 8,4 g
Sodium 274 mg

Source de magnésium

Mayonnaise à l'avocat *Trempette aux champignons* *Trempette à l'arachide*

Vinaigrette aux canneberges

Manger coloré, c'est bon pour le moral et pour la santé! Les pigments anthocyanins rougeâtres des canneberges contribuent à inhiber la fabrication du cholestérol dans l'organisme.

PRÉPARATION : 10 MIN **200 ML (3/4 TASSE)**

45 ml	**huile**	**3 c. à soupe**
10 ml	**vinaigre balsamique**	**2 c. à thé**
10 ml	**moutarde à l'ancienne**	**2 c. à thé**
75 ml	**jus d'orange**	**1/3 tasse**
30 ml	**canneberges séchées**	**2 c. à soupe**
5 ml	**zeste d'orange**	**1 c. à thé**
	sel et poivre	

Dans le récipient du mélangeur ou du robot culinaire, mettre l'huile, le vinaigre, la moutarde, le jus d'orange, les canneberges et le zeste d'orange. Activer l'appareil jusqu'à ce que les canneberges soient finement hachées. Saler et poivrer.

Saviez-vous que...

Les canneberges aident à soulager et à prévenir les infections urinaires. Leurs proanthocyanidines (un type de tannins) empêcheraient les mauvaises bactéries d'adhérer aux parois du système urinaire et de se multiplier pour causer l'infection.

La tradition culinaire italienne veut que l'on saupoudre le sel directement sur la laitue, avant d'y ajouter tout autre ingrédient. C'est fou ce qu'une pincée de sel incorporée de cette manière peut ajouter de la saveur!

Par portion de 30 ml

Calories 68
Glucides 2,0 g
Protéines 0,1 g
Fibres alimentaires 0,2 g
Matières grasses 4,3 g
Sodium 13 mg

Source de vitamine C

Vinaigrette alla pizzaiolla

Cette vinaigrette tire son nom de ses ingrédients, qui sont ceux de la pizza. Elle est délicieuse avec une salade de pâtes ou une simple salade verte.

PRÉPARATION : 10 MIN **200 ML (3/4 TASSE)**

1	**boîte (156 ml/5,5 oz) de jus de tomate**	1
30 ml	**vinaigre de vin**	2 c. à soupe
15 ml	**huile**	1 c. à soupe
5 ml	**origan**	1 c. à thé
5 ml	**basilic séché**	1 c. à thé
2 ml	**sucre**	1/2 c. à thé
1	**gousse d'ail hachée finement**	1
	sel et poivre	

Dans un bol, mélanger tous les ingrédients jusqu'à homogénéité. Saler et poivrer.

Truc

Lorsqu'on utilise des herbes séchées dans la préparation d'une vinaigrette, laisser celle-ci reposer environ 30 min avant de servir, pour permettre aux herbes de ramollir et d'exhaler leurs saveurs.

Info nutritionnelle

Le lycopène, vous connaissez ? C'est le pigment qui donne sa teinte rouge aux tomates, au melon d'eau, au pamplemousse rose et à la goyave. Cet antioxydant réduirait le risque de cancer et de maladie cardiaque. Dans les produits de tomates cuits (jus, sauce, pâte et ketchup), le lycopène existe sous une forme chimique plus facile à absorber que dans les tomates fraîches.

Par portion de 30 ml

Calories 25
Glucides 1,9 g
Protéines 0,2 g
Fibres alimentaires 0,2 g
Matières grasses 2,1 g
Sodium 84 mg

Faible en gras

Vinaigrette aux poivrons rouges

À essayer avec une salade de pâtes garnie de thon et de rondelles d'oignons blancs!

PRÉPARATION : 10 MIN — **250 ML (1 TASSE)**

1	**pot (198 ml/7 oz) de poivrons rouges rôtis, rincés et égouttés**	**1**
50 ml	**yogourt nature**	**1/4 tasse**
5 ml	**basilic haché** **ou 1 ml (1/4 c. à thé) de basilic séché**	**1 c. à thé**
15 ml	**huile**	**1 c. à soupe**
10 ml	**jus de citron**	**2 c. à thé**
1	**gousse d'ail**	**1**
	sel et poivre	

Au mélangeur, réduire tous les ingrédients en purée lisse. Saler et poivrer.

Truc

Mélanger 30 ml (2 c. à soupe) de cette vinaigrette à une boîte de thon de 170 g (6 oz) pour obtenir une garniture à sandwich express.

Pour rectifier la saveur d'une vinaigrette, la goûter avec un ingrédient de la salade, tel un morceau de laitue ou de légume, sinon le goût de la vinaigrette semblera toujours trop accentué.

Saviez-vous que…

Les poivrons verts deviennent rouges lorsqu'ils mûrissent sur le plant. Comme ils sont cueillis plus tôt, voyagent mieux et se conservent plus longtemps que les poivrons rouges, ils sont moins chers.

Par portion de 30 ml

Calories 22
Glucides 1,3 g
Protéines 0,4 g
Fibres alimentaires 0,1 g
Matières grasses 1,8 g
Sodium 5 mg

Bonne source de vitamine C
Faible en gras

Vinaigrette aux poivrons rouges

Vinaigrette des Mille-Îles

Cette sauce rosée est délicieuse pour assaisonner les salades vertes.

PRÉPARATION : 10 MIN **300 ML (1 1/4 TASSE)**

125 ml	**yogourt nature**	**1/2 tasse**
125 ml	**crème sure 0,1 % m.g.**	**1/2 tasse**
50 ml	**sauce chili**	**1/4 tasse**
15 ml	**oignon haché très finement**	**1 c. à soupe**
15 ml	**céleri haché très finement**	**1 c. à soupe**
15 ml	**carotte râpée très finement**	**1 c. à soupe**
5 ml	**jus de citron**	**1 c. à thé**
1 ml	**poivre**	**1/4 c. à thé**

Mettre tous les ingrédients dans le récipient du mélangeur et réduire en purée jusqu'à homogénéité.

Ou encore, mélanger les ingrédients au fouet et servir la vinaigrette telle quelle, sans la réduire en purée.

Saviez-vous que...

Les vinaigrettes commerciales coûtent facilement cinq fois plus cher que les vinaigrettes maison.

Info nutritionnelle

Certaines vinaigrettes du commerce fournissent autour de 200 calories, 20 g de gras et 500 mg de sodium par « modeste » portion de 30 ml (2 c. à soupe) ! Recherchez celles dont l'étiquette mentionne 300 mg ou moins de sodium et 6 g de gras (l'équivalent d'environ 8 ml / 1/2 c. à soupe d'huile) par portion de 30 ml (2 c. à soupe).

Par portion de 30 ml

Calories 33
Glucides 2,9 g
Protéines 1,1 g
Fibres alimentaires 0,0 g
Matières grasses 1,9 g
Sodium 79 mg

Source de vitamine B_{12}
Faible en gras

Légumes, légumineuses et salades

Le fait de consommer une abondance d'aliments végétaux réduit le risque des principales causes de maladie et de mortalité incluant le cancer et les maladies cardiaques. Voici d'agréables façons de manger un peu plus « végé » !

Gratin dauphinois bicolore

Se congèle

Un grand classique revitalisé grâce à l'ajout de patates douces. Délicieux en accompagnement du pain de viande aux tomates (voir p. 156).

PRÉPARATION : 15 MIN **CUISSON : 40 MIN** **8 PORTIONS**

4	**pommes de terre moyennes pelées, en fines lamelles**	**4**
2	**patates douces moyennes pelées, en fines lamelles**	**2**
1	**oignon moyen émincé**	**1**
75 ml	**farine**	**1/3 tasse**
7 ml	**sel**	**1 1/2 c. à thé**
1 ml	**poivre**	**1/4 c. à thé**
1 ml	**muscade**	**1/4 c. à thé**
1	**boîte (385 ml/14 oz) de lait évaporé sans gras**	**1**
125 ml	**lait**	**1/2 tasse**
200 ml	**cheddar fort ou gruyère râpé**	**3/4 tasse**

Préchauffer le four à 200 °C (400 °F).

Déposer les légumes dans un grand bol. Saupoudrer de farine, puis ajouter le sel, le poivre et la muscade. Mélanger pour bien enrober les légumes.

Déposer la préparation dans un plat allant au four de 25 cm x 35 cm (9 po x 13 po). Verser le lait évaporé et le lait sur les légumes et parsemer de fromage.

Couvrir et cuire au four pendant 40 min ou jusqu'à ce que les légumes soient cuits, puis découvrir et passer quelques minutes sous le gril pour gratiner.

Trucs

Faites d'une pierre deux coups ! Ce gratin et le pain de viande aux tomates ont un temps de cuisson semblable et leurs saveurs font bon ménage. Faites-les cuire ensemble.

La chair de la patate douce noircit dès qu'elle est coupée. Mieux vaut la couvrir d'eau froide ou la cuire immédiatement.

Info nutritionnelle

La patate douce, cette méconnue, est l'un des légumes les plus riches en bêta-carotène, qui lui donne sa belle teinte orangée, en plus d'être une bonne source de vitamine C.

Par portion

Calories 185
Glucides 28 g
Protéines 9,2 g
Fibres alimentaires 2,1 g
Matières grasses 4,3 g
Sodium 548 mg

Excellente source de vitamine A
Bonne source de vitamine C et de calcium
Source de vitamine B_{12}, d'acide folique, de magnésium, de fer et de fibres

Gratin dauphinois bicolore

Ragoût de pois chiches épicé

Se congèle • Végétarien

Servi sur un nid de riz basmati, voilà un repas nutritif, savoureux et économique. Ce ragoût se conserve facilement pendant quatre jours au réfrigérateur.

PRÉPARATION : 10 MIN | **CUISSON : 25 MIN** | **4 PORTIONS DE 250 ML (1 TASSE)**

10 ml	huile	2 c. à thé
1	gros oignon haché	1
2	grosses gousses d'ail hachées finement	2
1	petite courgette en dés	1
10 ml	gingembre pelé, haché	2 c. à thé
5 ml	cumin	1 c. à thé
5 ml	curcuma	1 c. à thé
10 ml	coriandre moulue	2 c. à thé
1 ml	flocons de piment	1/4 c. à thé
1	petite patate douce pelée, en dés	1
1	boîte (540 ml/19 oz) de pois chiches rincés et égouttés	1
1	boîte (213 ml/7 1/2 oz) de sauce tomate	1
	plus la même quantité d'eau	
30 ml	jus de citron ou de lime	2 c. à soupe
	sel et poivre	
	coriandre hachée (facultatif)	

Dans une grande casserole, chauffer l'huile et faire revenir l'oignon, l'ail et la courgette 5 min ou jusqu'à ce que l'oignon soit ramolli.

Ajouter le gingembre, le cumin, le curcuma, la coriandre et les flocons de piment et faire revenir jusqu'à ce que ce soit odorant, environ 1 min.

Ajouter les dés de patate douce, les pois chiches, la sauce tomate et l'eau, puis amener à ébullition.

Baisser le feu et laisser mijoter 20 min ou jusqu'à ce que la patate soit cuite. Incorporer le jus de citron. Saler, poivrer et parsemer de coriandre hachée.

Variante

Pour un goût plus ou moins relevé, augmenter ou réduire la quantité de gingembre et de piment.

Truc

On peut difficilement remplacer le gingembre frais par du gingembre moulu, car la saveur ne sera pas la même. À l'achat, rechercher un rhizome ferme, non ratatiné et sans moisissures.

Info nutritionnelle

Le riz basmati est un riz à grains longs et fins et à la texture soyeuse. Son parfum délicat le rend idéal (et indispensable) pour accompagner les plats épicés à l'indienne.

Par portion

Calories 232
Glucides 40 g
Protéines 10 g
Fibres alimentaires 5,9 g
Matières grasses 5,0 g
Sodium 326 mg

Excellente source de vitamine A, d'acide folique, de magnésium et de fer
Bonne source de vitamine C et de fibres
Source de calcium

Lentilles cuites au four

Plat principal • Se congèle • Végétarien

Faite avec des lentilles plutôt que des haricots blancs, cette recette vous changera des traditionnelles « binnes ».

PRÉPARATION : 35 MIN **CUISSON : 2 H** **5 PORTIONS DE 250 ML (1 TASSE)**

Trucs

Lorsque la recette prévoit du sel ou un ingrédient acide (tomates, vin ou jus de citron), l'ajouter en fin de cuisson pour permettre aux légumineuses de s'attendrir.

Toujours rincer les légumineuses sèches à l'eau froide en retirant celles qui sont décolorées, fendues ou cassées et autres saletés qui peuvent s'y trouver. À noter : les lentilles n'ont pas besoin de trempage avant la cuisson.

Pour un effet antiflatulent, ajouter quelques brins de sarriette ou quelques feuilles de sauge à l'eau de cuisson des légumineuses.

Par portion

Calories 283
Glucides 53 g
Protéines 16 g
Fibres alimentaires 7,3 g
Matières grasses 1,2 g
Sodium 574 mg

Excellente source d'acide folique, de magnésium, de fer et de fibres
Source de vitamine C et de calcium
Faible en gras

500 ml	**lentilles brunes sèches**	**2 tasses**
1,5 l	**eau**	**6 tasses**
1	**gros oignon haché**	**1**
150 ml	**sauce chili**	**2/3 tasse**
50 ml	**mélasse**	**1/4 tasse**
15 ml	**moutarde sèche**	**1 c. à soupe**
1 ml	**flocons de piment**	**1/4 c. à thé**
2 ml	**sel**	**1/2 c. à thé**
	poivre	

Préchauffer le four à 190 °C (375 °F).

Mettre les lentilles dans une passoire et les rincer sous l'eau froide courante. Dans une grande casserole, combiner l'eau et les lentilles. Amener à ébullition, couvrir, baisser le feu et laisser mijoter 30 min.

Égoutter en prenant soin de recueillir 250 ml (1 tasse) du liquide de cuisson. Déposer les lentilles et l'oignon dans un plat de cuisson d'une capacité de 2 l (8 tasses).

Dans un autre bol, combiner l'eau de cuisson réservée, la sauce chili, la mélasse, la moutarde sèche, les flocons de piment. Verser sur les lentilles, ajouter 500 ml (2 tasses) d'eau et bien mélanger. Cuire à couvert au four préchauffé pendant 1 h.

Découvrir et cuire encore 1 h. Ajouter de l'eau au besoin. Lorsque les lentilles sont cuites, incorporer le sel et poivrer.

Pilaf aux lentilles rouges et au boulghour

Express • Se congèle • Chaud/froid • Végétarien

Voici une préparation sèche qui se gardera pendant plusieurs mois au congélateur en prévision des petits matins pressés ou des lunchs improvisés. On ajoute de l'eau et 10 min plus tard, le lunch est servi!

PRÉPARATION: 5 MIN **CUISSON: 10 MIN** **4 PORTIONS DE 200 ML (3/4 TASSE)**

45 ml	graines de tournesol	3 c. à soupe
125 ml	lentilles rouges sèches	1/2 tasse
125 ml	boulghour non cuit	1/2 tasse
30 ml	abricots séchés hachés	2 c. à soupe
30 ml	raisins secs	2 c. à soupe
10 ml	huile	2 c. à thé
1	gros morceau de zeste d'orange	1
1	feuille de laurier	1
5 ml	cumin	1 c. à thé
2 ml	gingembre moulu	1/2 c. à thé
1 ml	flocons de piment	1/4 c. à thé
1	cube de bouillon de légumes ou de poulet	1
550 ml	eau	2 1/4 tasses

Dans un contenant ou un sac hermétique, combiner tous les ingrédients excepté l'eau. On peut congeler ce mélange sec, l'apporter tel quel au bureau ou le cuire immédiatement.

Cuisson

Dans une casserole de grosseur moyenne, amener l'eau à ébullition, ajouter le pilaf, mélanger, couvrir et cuire à feu doux jusqu'à ce que l'eau soit presque toute absorbée, environ 10 min. Retirer le zeste d'orange et la feuille de laurier.

Servir avec un pain pita ou un pain naan et une salade de carotte à la menthe (voir p. 102).

Truc

Pour obtenir de fines lanières de zeste d'orange ou de citron, utiliser un zesteur, un instrument à lame courte et plate munie de cinq petits trous. Ou encore, prendre un couteau économe pour avoir de larges bandes. Attention de ne pas enlever la partie blanche de la pelure, qui a une saveur amère.

Info nutritionnelle

Comme ils contiennent moins d'eau que les fruits frais, les fruits séchés sont des sources concentrées de vitamines, de minéraux et d'énergie.

Le duo « légumineuse et céréale », dans ce cas-ci « lentilles et boulghour », donne des protéines d'une qualité comparable à celles de la viande.

Par portion

Calories 206
Glucides 33 g
Protéines 9,1 g
Fibres alimentaires 6,7 g
Matières grasses 5,5 g
Sodium 425 mg

Excellente source d'acide folique, de magnésium et de fibres
Bonne source de fer

Pilaf aux lentilles rouges et au boulghour

Fenouil et orange en salade

Express

Voici une façon simple d'apprêter le fenouil pour en faire ressortir sa douce saveur anisée. Cette salade se conserve trois jours au réfrigérateur.

PRÉPARATION : 10 MIN **4 PORTIONS DE 250 ML (1 TASSE)**

1	**petit bulbe de fenouil émincé finement**	**1**
2	**oranges pelées à vif en petits quartiers**	**2**
15 ml	**ciboulette hachée ou 5 ml (1 c. à thé) de ciboulette séchée**	**1 c. à soupe**
15 ml	**vinaigre de vin ou balsamique**	**1 c. à soupe**
15 ml	**huile**	**1 c. à soupe**
	sel et poivre	

Dans un petit bol, mettre le fenouil, l'orange et la ciboulette. Arroser de vinaigre, d'huile et assaisonner. Bien mélanger.

Variante

Pour un dîner léger, ajouter du thon ou du saumon en conserve.

Truc

Pour peler à vif une orange, un pamplemousse ou un citron, prélever les deux calottes puis enlever, à l'aide d'un couteau dentelé, l'écorce et la peau blanche en même temps par segments, de haut en bas.

Info nutritionnelle

Le fenouil est un gros bulbe blanc ou vert pâle surmonté de plusieurs tiges vertes. Sa saveur légèrement sucrée rappelle celle de l'anis ou de la réglisse noire. À l'achat, choisir un produit ferme, odorant, exempt de taches, et aux belles tiges vertes. Il se conservera environ une semaine au réfrigérateur.

Par portion

Calories 79
Glucides 12 g
Protéines 1,3 g
Fibres alimentaires 1,2 g
Matières grasses 3,7 g
Sodium 28 mg

Excellente source de vitamine C
Bonne source d'acide folique
Source de magnésium

Légumes croquants parfumés au vinaigre balsamique

Express

Une symphonie de couleurs et de saveurs pour cette salade vitaminée.

PRÉPARATION : 15 MIN **3 PORTIONS DE 250 ML (1 TASSE)**

Variante

Pour un air typiquement méditerranéen, ajouter des copeaux de parmesan frais, qui se font facilement à l'aide d'un éplucheur.

Truc

Pour éviter que les pignons (ou noix de pin) ne rancissent, les conserver au congélateur de 2 à 3 mois, ou au réfrigérateur environ 1 mois.

Info nutritionnelle

On produit le vinaigre balsamique à partir d'un jus de raisin blanc sucré, comme le trebbiano. C'est son vieillissement dans une succession de fûts de bois d'essences et de formats différents qui lui confère sa douce saveur piquante, sa couleur brun foncé et sa densité quelque peu sirupeuse.

Par portion

Calories 96
Glucides 9,3 g
Protéines 3,2 g
Fibres alimentaires 2,9 g
Matières grasses 6,5 g
Sodium 7 mg

Excellente source de vitamine C
Bonne source d'acide folique
Source de vitamine A, de magnésium, de fer et de fibres

Cuire les haricots verts à l'eau bouillante salée 3 min. Rincer à l'eau froide.

Couper en morceaux de 2 cm (3/4 po) et mettre dans un saladier. Incorporer le reste des ingrédients, sauf les pignons, et mélanger délicatement aux haricots.

Garnir des pignons. Saler et poivrer.

250 ml	**haricots verts**	**1 tasse**
1/2	**poivron rouge en lanières**	**1/2**
1	**petite courgette jaune en dés**	**1**
125 ml	**champignons en lamelles**	**1/2 tasse**
1	**oignon vert haché**	**1**
15 ml	**huile**	**1 c. à soupe**
15 ml	**vinaigre balsamique**	**1 c. à soupe**
5 ml	**basilic haché ou 2 ml (1/2 c. à thé) de basilic séché**	**1 c. à thé**
15 ml	**pignons grillés**	**1 c. à soupe**
	sel et poivre	

Melon et concombre en salade

Express

Le goût légèrement poivré du cresson se marie bien au sucré du melon dans cette salade « verte » qui se conserve deux jours au réfrigérateur.

PRÉPARATION : 15 MIN **4 PORTIONS DE 300 ML (1 1/4 TASSE)**

750 ml	**melon miel en dés**	**3 tasses**
250 ml	**concombre en dés**	**1 tasse**
250 ml	**feuilles de cresson**	**1 tasse**
15 ml	**huile**	**1 c. à soupe**
15 ml	**menthe hachée ou 5 ml (1 c. à thé) menthe séchée**	**1 c. à soupe**
15 ml	**miel**	**1 c. à soupe**
15 ml	**vinaigre de vin blanc ou de cidre**	**1 c. à soupe**
	poivre	

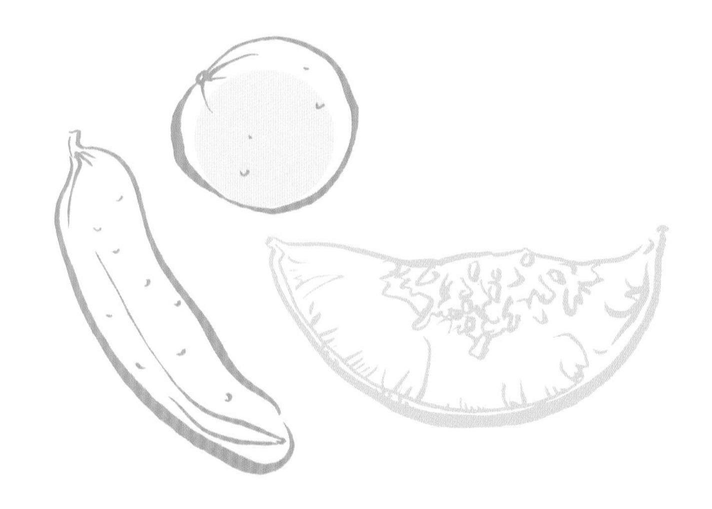

Mettre le melon, le concombre et le cresson dans un bol et mélanger délicatement.

Amalgamer les ingrédients de la sauce et verser sur la salade. Poivrer.

Trucs

Le cresson se vend en bouquet. Le conserver au réfrigérateur en faisant tremper la base dans l'eau, comme un bouquet de fleurs. Pour une saveur incomparable, ajouter les feuilles aux salades et les tiges, aux soupes.

Si le miel s'est solidifié ou cristallisé, le liquéfier en le chauffant quelques secondes à la puissance maximale du micro-ondes.

Saviez-vous que…

Les plats froids ont besoin d'être bien plus assaisonnés que les chauds, car le froid diminue l'intensité des saveurs.

Par portion

Calories 105
Glucides 19 g
Protéines 1,1 g
Fibres alimentaires 1,6 g
Matières grasses 3,8 g
Sodium 19 mg

Excellente source de vitamine C
Bonne source d'acide folique
Source de vitamine A et de magnésium

Plumes et poulet aux fruits et au cari

Plat principal

Une fantaisie gourmande qui vous mènera assurément sur la route des Indes, même si les pâtes suggérées portent le nom italien *pennine*, qui signifie «petite plume».
Cette salade se conserve trois jours au réfrigérateur.

PRÉPARATION : 15 MIN **CUISSON : 10 MIN** **5 PORTIONS DE 375 ML (1 1/2 TASSE)**

Variantes

Substituer 750 ml (3 tasses) de riz cuit aux pâtes.

Remplacer la vinaigrette crémeuse par un mélange de 60 ml (4 c. à soupe) de vinaigre de cidre, 45 ml (3 c. à soupe) d'huile, 15 ml (1 c. à soupe) de cari et 5 ml (1 c. à thé) de moutarde forte.

Info nutritionnelle

Qu'ils soient frais ou secs, les abricots ont une teneur élevée en caroténoïdes, des pigments qui leur donnent leur couleur jaune orangé et qui agiraient comme antioxydants dans notre corps.

Par portion

Calories 423
Glucides 51 g
Protéines 28 g
Fibres alimentaires 3,5 g
Matières grasses 12 g
Sodium 254 mg

Excellente source de magnésium
Bonne source de vitamine B_{12} et de fer
Source de vitamine A, d'acide folique, de vitamine C, de calcium et de fibres

500 ml	pennines ou fusillis non cuits	2 tasses
30 ml	amandes effilées	2 c. à soupe
500 ml	poulet cuit en dés	2 tasses
125 ml	céleri en dés	1/2 tasse
125 ml	abricots séchés, en languettes	1/2 tasse
2	oignons verts hachés	2
50 ml	raisins secs	1/4 tasse
1	pomme rouge non pelée, en dés	1

Vinaigrette crémeuse

15 ml	cari	1 c. à soupe
125 ml	mayonnaise légère	1/2 tasse
200 ml	yogourt nature	3/4 tasse
5 ml	moutarde forte	1 c. à thé
	sel et poivre	

Faire cuire les pâtes dans une grande casserole d'eau bouillante salée jusqu'à ce qu'elles soient *al dente*. Rincer à l'eau froide et réserver.

Dans un petit poêlon antiadhésif, faire rôtir les amandes jusqu'à ce qu'elles soient odorantes et dorées, environ 5 min et réserver.

Dans un grand bol, déposer le poulet, le céleri, les abricots, les oignons verts, les raisins secs et les dés de pomme.

Mettre le cari dans un petit bol, ajouter la mayonnaise, le yogourt et la moutarde. Saler et poivrer. Bien mélanger.

Verser sur la salade et mélanger délicatement. Garnir d'amandes rôties.

Pommes de terre nouvelles à la vinaigrette citron-ciboulette

Sachez presser le citron pour cette salade de pommes de terre sans mayonnaise. Elle sera plus savoureuse si elle est consommée à la température ambiante.

PRÉPARATION : 15 MIN **CUISSON : 10 MIN** **6 PORTIONS DE 375 ML (1 1/2 TASSE)**

6	pommes de terre nouvelles non pelées, brossées	6
250 ml	pois mange-tout, en diagonale	1 tasse
250 ml	pois verts surgelés	1 tasse
3	oignons verts hachés	3
1/2	poivron rouge en dés	1/2

Vinaigrette

50 ml	huile d'olive extra-vierge	1/4 tasse
50 ml	jus de citron	1/4 tasse
30 ml	ciboulette hachée	2 c. à soupe
2 ml	sucre	1/2 c. à thé
	sel et poivre	

Cuire les pommes de terre à l'eau bouillante salée 10 à 15 min ou jusqu'à ce qu'elles soient tendres. Rincer à l'eau froide. Couper en tranches d'épaisseur moyenne et laisser refroidir dans un grand bol.

Pendant ce temps, cuire les pois mange-tout dans l'eau bouillante salée 3 min, puis ajouter les pois verts et cuire encore 2 min. Rincer à l'eau froide. Ajouter aux pommes de terre.

Arroser de la vinaigrette et incorporer délicatement les oignons verts et le poivron rouge. Saler et poivrer.

Variantes

Pour faire de cette salade un plat principal, incorporer un œuf dur et/ou du thon, du saumon ou des crevettes en conserve.

Pour une salade plus « corsée », ajouter 30 ml (2 c. à soupe) de roquefort et 2 tranches de bacon croustillant émietté. Arroser le tout d'une vinaigrette au thé : 50 ml (1/4 tasse) de thé noir refroidi, 45 ml (3 c. à soupe) de jus de citron, 15 ml (1 c. à soupe) d'huile, 15 ml (1 c. à soupe) de vinaigre de vin et sel et poivre.

Truc

Un reste de pommes de terre à « recycler » ? Il suffit de prévoir pour cette recette environ 1,25 l (5 tasses) de tranches épaisses de pommes de terre.

Par portion

Calories 283
Glucides 48 g
Protéines 6,4 g
Fibres alimentaires 6,2 g
Matières grasses 7,9 g
Sodium 39 mg

Excellente source de vitamine C, de magnésium et de fibres
Bonne source d'acide folique et de fer
Source de vitamine A

Riz et haricots noirs en salade mexicaine

Végétarien • Express

Des tranches de tomate, un quartier de citron et une tortilla compléteront à merveille cette salade peu banale. Pour une saveur plus relevée, ajoutez à la vinaigrette quelques gouttes de Tabasco. Cette salade se conserve au réfrigérateur pendant quatre jours.

PRÉPARATION : 15 MIN

6 PORTIONS DE 300 ML (1 1/4 TASSE)

Variante

Remplacer les haricots noirs par une quantité égale de haricots rouges ou de lentilles vertes.

Info nutritionnelle

Les légumineuses entraînent des problèmes de flatulence ? Il faut s'assurer de bien les rincer (pour celles qui sont en conserve) et de les cuire jusqu'à ce qu'elles s'écrasent facilement à la fourchette. Éviter les desserts (ou d'autres aliments) très sucrés au même repas.
Et patience : le corps s'adapte avec le temps !

Par portion

Calories 245
Glucides 41 g
Protéines 9,7 g
Fibres alimentaires 6,1 g
Matières grasses 5,7 g
Sodium 186 mg

Excellente source d'acide folique, de magnésium et de fibres
Bonne source de fer
Source de vitamine A et de vitamine C

Dans un bol, mélanger les 6 premiers ingrédients et réserver.

Dans un petit bol, mélanger le jus de citron, le sel, le poivre et le cumin. Incorporer l'huile en un mince filet en fouettant jusqu'à ce que la vinaigrette épaississe. Ajouter le persil et l'ail. Verser sur la salade et mélanger délicatement.

1	**boîte (540 ml/19 oz) de haricots noirs rincés et égouttés**	**1**
1	**boîte (199 ml/7 oz) de maïs en grains égoutté**	**1**
500 ml	**riz brun cuit**	**2 tasses**
250 ml	**pois verts surgelés, cuits**	**1 tasse**
1	**grosse tomate en dés**	**1**
1	**petite courgette jaune en dés**	**1**
45 ml	**jus de citron**	**3 c. à soupe**
2 ml	**sel**	**1/2 c. à thé**
1 ml	**poivre**	**1/4 c. à thé**
5 ml	**cumin**	**1 c. à thé**
30 ml	**huile**	**2 c. à soupe**
50 ml	**persil haché ou 15 ml (1 c. à soupe) de persil séché**	**1/4 tasse**
2	**gousses d'ail hachées finement**	**2**

Salade grecque au tofu

Végétarien

Un plat traditionnel auquel on a ajouté du tofu pour un extra de protéines.

PRÉPARATION : 15 MIN ATTENTE : 20 MIN 3 PORTIONS DE 750 ML (3 TASSES) (DONT 250 ML /1 TASSE DE MÉLANGE AU TOFU)

1	**laitue frisée rouge déchiquetée ou 1 petite laitue romaine déchiquetée**	**1**
75 ml	**fromage feta émietté**	**1/3 tasse**
1	**petit oignon rouge haché**	**1**
125 ml	**olives noires dénoyautées, hachées**	**1/2 tasse**
30 ml	**jus de citron**	**2 c. à soupe**
30 ml	**huile**	**2 c. à soupe**
5 ml	**origan**	**1 c. à thé**
250 ml	**tofu ferme émietté**	**1 tasse**
	sel et poivre	
2	**tomates rouges en dés**	**2**
1	**pita (18 cm/7 po) en lanières, grillées**	**1**

Déposer la laitue dans un saladier et réserver. Dans un bol, mélanger la feta, l'oignon, les olives, le jus de citron, l'huile et l'origan. Ajouter le tofu et écraser à la fourchette pour bien incorporer tous les ingrédients. Saler et poivrer.

Couvrir et réfrigérer pendant 20 min ou jusqu'au lendemain.

Au moment de servir, ajouter les dés de tomates au mélange de tofu et déposer sur la laitue.

Garnir de lanières de pita grillées.

Variantes

Remplacer la feta par 125 ml (1/2 tasse) d'un autre fromage au goût prononcé, tels que du parmesan frais en copeaux ou du cheddar fort râpé.

Servir la préparation au tofu comme garniture à sandwich dans un pita.

Info nutritionnelle

Comme le fromage feta est conservé dans une saumure, il se conserve plusieurs mois au réfrigérateur, s'il est manipulé avec soin. Sa saveur caractéristique est prononcée et légèrement piquante.

Par portion

Calories 311
Glucides 25 g
Protéines 14 g
Fibres alimentaires 4,7 g
Matières grasses 19 g
Sodium 415 mg

Excellente source de vitamine A, d'acide folique, de vitamine C, de magnésium, de calcium et de fer
Bonne source de vitamine B_{12} et de fibres

Salade grecque au tofu

Salade de carotte à la menthe

Express

Cette salade présente des accents de fraîcheur à cause de la menthe.
Elle se conserve jusqu'à quatre jours au réfrigérateur.

PRÉPARATION : 10 MIN **4 PORTIONS DE 200 ML (3/4 TASSE)**

45 ml	**mayonnaise légère**	**3 c. à soupe**
45 ml	**yogourt nature**	**3 c. à soupe**
5 ml	**moutarde forte**	**1 c. à thé**
15 ml	**menthe hachée** **ou 1 ml (1 c. à thé) de menthe séchée**	**1 c. à soupe**
	sel et poivre	
750 ml	**carottes râpées**	**3 tasses**

Dans un bol, mélanger la mayonnaise, le yogourt, la moutarde et la menthe. Saler et poivrer.

Incorporer les carottes râpées.

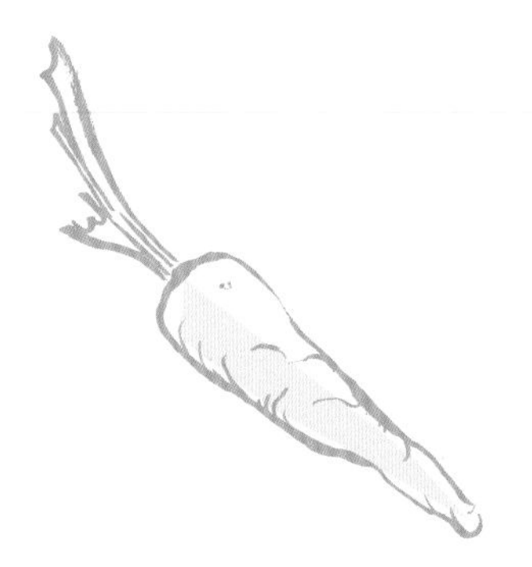

Truc

Bonne nouvelle : on peut maintenant se procurer à l'épicerie des carottes râpées vendues en sac !

Info nutritionnelle

Le bel orangé de la carotte mais aussi de la patate douce, de la citrouille et du cantaloup est un signe de leur richesse en bêta-carotène, cet antioxydant bien connu pour son lien avec la prévention du cancer et des maladies cardiaques.

Par portion

Calories 86
Glucides 12 g
Protéines 1,7 g
Fibres alimentaires 2,3 g
Matières grasses 4,1 g
Sodium 139 mg

Excellente source de vitamine A
Source d'acide folique, de vitamine C, de magnésium et de fibres

Salade de céleri-rave à la vinaigrette à l'orange

Salade colorée et croquante à souhait recherche tendre morceau de poisson pour petit souper sympa! Cette salade sera encore plus savoureuse le lendemain. Elle se conserve cinq jours au réfrigérateur.

PRÉPARATION: 20 MIN **5 PORTIONS DE 200 ML (3/4 TASSE)**

Truc
Pour éviter que la chair du céleri-rave ne noircisse au contact de l'air, l'arroser de jus de citron ou de vinaigrette dès qu'il est coupé.

Info nutritionnelle
Le céleri-rave est une racine ronde et blanchâtre qui ressemble à un gros navet. Il a le goût du céleri (un peu plus prononcé même) sans son petit côté fibreux.

Par portion
Calories 203
Glucides 19 g
Protéines 2,1 g
Fibres alimentaires 1,8 g
Matières grasses 14 g
Sodium 120 mg

Excellente source d'acide folique et de vitamine C
Source de magnésium et de fer

Verser le jus dans le récipient du mélangeur avec le vinaigre, la moutarde et le zeste d'orange. Mélanger jusqu'à homogénéité puis, tout en maintenant le moteur en marche, ajouter l'huile en un mince filet.

Incorporer la vinaigrette et le persil au céleri-rave. Saler et poivrer.

Vinaigrette

125 ml	jus d'orange concentré non dilué	1/2 tasse
15 ml	vinaigre de vin blanc	1 c. à soupe
15 ml	moutarde forte	1 c. à soupe
2 ml	zeste d'orange	1/2 c. à thé
75 ml	huile d'olive extra-vierge	1/3 tasse

30 ml	persil haché	2 c. à soupe
1	céleri-rave moyen râpé	1
	sel et poivre	

Salade de lentilles

Express • Plat principal • Végétarien

Une salade sans prétention que l'on peut manger telle quelle ou en sandwich dans un pita garni (pour une touche de piquant!) de roquette ou de cresson.

PRÉPARATION : 15 MIN | **4 PORTIONS DE 200 ML (3/4 TASSE)**

1	boîte (540 ml /19 oz) de lentilles rincées et égouttées	1
3	mini bocconcini en tranches	3
50 ml	oignon rouge haché finement	1/4 tasse
50 ml	tomates en dés	1/4 tasse
50 ml	courgettes en dés	1/4 tasse
50 ml	poivron jaune ou rouge en dés	1/4 tasse
30 ml	huile	2 c. à soupe
15 ml	vinaigre balsamique	1 c. à soupe
10 ml	menthe hachée	2 c. à thé
45 ml	persil haché	3 c. à soupe
	sel et poivre	

Dans un bol, mélanger tous les ingrédients. Saler et poivrer.

Trucs

On peut remplacer les herbes fraîches par une quantité trois fois moindre d'herbes séchées.

250 ml (1 tasse) de légumineuses sèches donnent de 500 à 750 ml (2 à 3 tasses) de légumineuses cuites.

Par portion

Calories 262
Glucides 24 g
Protéines 17 g
Fibres alimentaires 4,8 g
Matières grasses 12 g
Sodium 137 mg

Excellente source d'acide folique et de fer
Bonne source de magnésium, de calcium et de fibres
Source de vitamine A, de vitamine B_{12} et de vitamine C

Salade du Moyen-Orient

Végétarien

Un plat typique du Liban, même si la proportion des ingrédients utilisés varie selon les traditions familiales. En fait, les recettes de taboulé sont presque aussi nombreuses que les cuisiniers qui en préparent!

PRÉPARATION: 15 MIN **CUISSON: 5 MIN** **5 PORTIONS DE 300 ML (1 1/4 TASSE)**

Trucs

Lorsqu'on utilise des légumineuses en conserve, bien les rincer sous l'eau froide courante. Cela permet d'éliminer le tiers, et même un peu plus, du sel ajouté au produit et une partie des sucres responsables des fameux gaz!

Le taboulé est plus savoureux lorsqu'il est préparé la veille. Pour une saveur sans pareille, utiliser du persil frais plutôt que du persil séché.

Par portion

Calories 251
Glucides 42 g
Protéines 10 g
Fibres alimentaires 4,0 g
Matières grasses 5,8 g
Sodium 206 mg

Excellente source d'acide folique et de fer
Bonne source de vitamine C, de magnésium et de fibres
Source de vitamine A et de calcium

Dans un chaudron, faire revenir l'ail dans l'huile 2 à 3 min. Ajouter l'eau et amener à ébullition.

Ajouter les assaisonnements et le couscous. Mélanger et retirer du feu.

Couvrir et laisser reposer 5 min.

Gonfler à la fourchette dans un grand bol. Incorporer le reste des ingrédients.

3	**gousses d'ail hachées**	**3**
5 ml	**huile**	**1 c. à thé**
375 ml	**eau**	**1 1/2 tasse**
5 ml	**cumin**	**1 c. à thé**
2 ml	**gingembre moulu**	**1/2 c. à thé**
2 ml	**curcuma**	**1/2 c. à thé**
2 ml	**chili en poudre**	**1/2 c. à thé**
2 ml	**sel**	**1/2 c. à thé**
200 ml	**couscous**	**3/4 tasse**
45 ml	**jus de citron**	**3 c. à soupe**
15 ml	**menthe hachée ou 5 ml (1 c. à thé) de menthe séchée**	**1 c. à soupe**
15 ml	**huile**	**1 c. à soupe**
2	**oignons verts hachés**	**2**
1	**grosse tomate en dés**	**1**
200 ml	**concombre pelé, en dés**	**3/4 tasse**
375 ml	**persil haché**	**1 1/2 tasse**
1	**boîte (540 ml/19 oz) de pois chiches rincés et égouttés**	**1**

Salade de pâtes au thon et sa vinaigrette aux poivrons

Plat principal

Une salade offrant des saveurs surprenantes en plus d'être une excellente source de vitamine C et de fer. Pour avoir un contenu plus élevé en acides gras oméga-3, opter pour le thon albacore.

PRÉPARATION : 10 MIN **CUISSON : 10 MIN** **4 PORTIONS DE 375 ML (1 1/2 TASSE)**

500 ml	**petites pâtes non cuites**	**2 tasses**
1	**boîte (170 g/6 oz) de thon dans l'eau, égoutté**	**1**
250 ml	**courgette en dés**	**1 tasse**
1	**grosse orange pelée à vif, en dés**	**1**
50 ml	**poivron rouge en dés**	**1/4 tasse**
50 ml	**persil haché ou 15 ml (1 c. à soupe) de persil séché**	**1/4 tasse**
45 ml	**oignon rouge en dés**	**3 c. à soupe**
200 ml	**Vinaigrette aux poivrons rouges (voir p. 84)**	**3/4 tasse**

Faire cuire les pâtes dans une grande casserole d'eau bouillante salée jusqu'à ce qu'elles soient *al dente*. Rincer à l'eau froide et réserver.

Dans un grand bol, mélanger tous les ingrédients. Incorporer les pâtes cuites.

Variante

Remplacer le thon par une quantité égale de crevettes ou de saumon en conserve.

Truc

Un surplus de pâtes cuites ? Égoutter et congeler dans des contenants de plastique individuels. Le matin, ajouter à un des contenants sa sauce ou sa garniture préférée et le glisser dans la boîte à lunch. Réchauffer au micro-ondes à l'heure du dîner.

Saviez-vous que…

Le poisson contient des gras oméga-3 qui stimulent le système immunitaire, ont un effet anti-inflammatoire et aident à protéger contre le cancer et la maladie cardiaque. Rien de moins !

Par portion

Calories 308
Glucides 50 g
Protéines 17 g
Fibres alimentaires 3,8 g
Matières grasses 4,2 g
Sodium 25 mg

Excellente source de vitamine B_{12}, de vitamine C et de fer
Bonne source d'acide folique et de magnésium
Source de vitamine A, de calcium et de fibres

Salade de tortellinis à la sauce aux tomates séchées

Plat principal

Bien que d'apparence sophistiquée, cette salade s'apprête en un tournemain. La sauce se conserve jusqu'à deux semaines au réfrigérateur.

PRÉPARATION : 15 MIN **CUISSON : 10 MIN** **4 PORTIONS DE 375 ML (1 1/2 TASSE)**

500 ml	tortellinis au fromage surgelés, non cuits	2 tasses
1	boîte (398 ml/14 oz) de cœurs d'artichauts égouttés, en quartiers	1
45 ml	olives noires en rondelles	3 c. à soupe
Sauce		
125 ml	tomates séchées dans l'huile, égouttées	1/2 tasse
50 ml	huile d'olive extra-vierge	1/4 tasse
50 ml	eau	1/4 tasse
15 ml	basilic haché ou 5 ml (1 c. à thé) de basilic séché	1 c. à soupe
15 ml	câpres	1 c. à soupe
15 ml	vinaigre balsamique	1 c. à soupe
	poivre	

Dans une grande casserole d'eau bouillante salée, cuire les tortellinis jusqu'à ce qu'ils soient *al dente*. Rincer à l'eau froide et mettre dans un bol. Ajouter les cœurs d'artichauts et les olives et réserver.

Au mélangeur, réduire en purée tous les ingrédients de la sauce.

Incorporer aux tortellinis et mélanger délicatement. Poivrer.

Trucs

L'huile d'olive extra-vierge est particulièrement fine et fruitée. Elle rehausse à merveille la saveur des pâtes, des sautés, des légumes, des vinaigrettes et même du pain.

La sauce aux tomates séchées qu'on a gardée au réfrigérateur sera plus facile à mélanger aux tortellinis si on la ramène d'abord à la température ambiante, car le froid épaissit l'huile d'olive.

Cette sauce peut aussi se tartiner sur du pain, dans un sandwich au poulet frais ou au rôti de bœuf ou de porc.

Par portion

Calories 396
Glucides 48 g
Protéines 15 g
Fibres alimentaires 0,2 g
Matières grasses 18 g
Sodium 568 mg

Excellente source d'acide folique, de magnésium et de fer
Bonne source de vitamine C et de calcium
Source de vitamine A et de vitamine B_{12}

Salade trois couleurs en deux façons

Express

Traditionnelle ou crémeuse? Vous avez le choix...

PRÉPARATION : 15 MIN — **6 PORTIONS DE 250 ML (1 TASSE)**

500 ml	chou vert ou fenouil émincé	2 tasses
500 ml	chou rouge émincé	2 tasses
500 ml	carottes râpées	2 tasses
15 ml	graines de pavot	1 c. à soupe

Mélanger tous les ingrédients dans un grand bol et réserver.

Vinaigrette crémeuse

125 ml	yogourt nature	1/2 tasse
75 ml	mayonnaise légère	1/3 tasse
30 ml	vinaigre de vin	2 c. à soupe
15 ml	moutarde forte	1 c. à soupe
5 ml	sucre	1 c. à thé
	sel et poivre	

Vinaigrette crémeuse
Mélanger tous les ingrédients et incorporer à la salade. Saler et poivrer.

Vinaigrette traditionnelle

50 ml	jus d'orange	1/4 tasse
45 ml	vinaigre de cidre	3 c. à soupe
45 ml	huile de canola	3 c. à soupe
10 ml	zeste d'orange	2 c. à thé
	sel et poivre	

Vinaigrette traditionnelle
Mélanger tous les ingrédients et incorporer à la salade. Saler et poivrer.

Trucs

La salade sera meilleure si elle séjourne au moins 30 min au réfrigérateur.

Pour éviter qu'elles ne rancissent, conserver les graines de pavot au réfrigérateur dans un contenant hermétique pas plus de 6 mois.

Par portion

(version crémeuse)
Calories 94
Glucides 11 g
Protéines 2,6 g
Fibres alimentaires 1,9 g
Matières grasses 5,1 g
Sodium 152 mg

Excellente source de vitamine A
Bonne source de vitamine C
Source de vitamine B_{12}, d'acide folique, de magnésium, de calcium, de fer et de fibres

(version traditionnelle)
Calories 103
Glucides 8,6 g
Protéines 1,4 g
Fibres alimentaires 2,0 g
Matières grasses 7,7 g
Sodium 21 mg

Excellente source de vitamine A et de vitamine C
Source d'acide folique, de magnésium, de calcium et de fibres

Salade trois couleurs en deux façons

Salade tricolore

Du chou-fleur grillé, des haricots noirs et du poivron rouge pour cette salade originale et vitaminée! Elle se conserve facilement pendant cinq jours au réfrigérateur.

PRÉPARATION : 10 MIN **CUISSON : 45 MIN** **4 PORTIONS DE 375 ML (1 1/2 TASSE)**

1	**chou-fleur en petits bouquets**	**1**
	huile pour vaporiser	
50 ml	**vinaigre de vin**	**1/4 tasse**
45 ml	**huile d'olive**	**3 c. à soupe**
2	**gousses d'ail hachées finement**	**2**
125 ml	**oignon rouge haché finement**	**1/2 tasse**
2 ml	**poivre**	**1/2 c. à thé**
1 ml	**sel**	**1/4 c. à thé**
45 ml	**persil haché** **ou 15 ml (1 c. à soupe) de persil séché**	**3 c. à soupe**
1	**boîte (540 ml/19 oz) de haricots noirs rincés et égouttés**	**1**
1	**poivron rouge en dés**	**1**

Préchauffer le four à 200 °C (400 °F).

Étaler uniformément les bouquets de chou-fleur sur une plaque à biscuits huilée. Vaporiser d'huile et saler légèrement. Cuire 45 min ou jusqu'à ce que le chou-fleur soit doré.

Dans un grand bol, mélanger le vinaigre, l'huile, l'ail, l'oignon, le poivre, le sel et le persil. Ajouter les haricots et le poivron. Bien mélanger et incorporer délicatement les bouquets de chou-fleur.

Truc

Choisir un chou-fleur dont la tête est propre, de couleur crème ou blanche, ferme, compacte et sans taches brunes. Ses feuilles devraient être vertes et fraîches.

Par portion

Calories 271
Glucides 35 g
Protéines 12 g
Fibres alimentaires 7,7 g
Matières grasses 11 g
Sodium 147 mg

Excellente source d'acide folique, de vitamine C, de magnésium et de fibres
Bonne source de fer
Source de vitamine A et de calcium

Salade Waldorf

Végétarien • Express

Le croquant des pommes, du céleri et du chou rouge associé au velouté de la vinaigrette font de cette salade une interprétation tout à fait digne du Waldorf Astoria, le prestigieux hôtel new-yorkais auquel elle doit son nom.

PRÉPARATION : 15 MIN

4 PORTIONS DE 375 ML (1 1/2 TASSE)

Variante

Garnir la salade d'une petite boîte (85 g/3 oz) de thon déjà assaisonné, tel le thon au citron et au poivre.

Truc

Conserver les noix, les amandes, les arachides, les pignons et autres noix, rôtis ou non, au congélateur pour éviter qu'ils ne rancissent.

Par portion

Calories 143
Glucides 16 g
Protéines 1,6 g
Fibres alimentaires 1,6 g
Matières grasses 3,8 g
Sodium 57 mg

Source d'acide folique, de vitamine C et de magnésium

Dans un bol, mettre les pommes, le céleri, les raisins et le chou rouge.

Arroser du jus de citron et mélanger.

Dans un petit bol, mélanger le yogourt, la mayonnaise, la moutarde, le miel, la ciboulette et les graines de céleri. Saler et poivrer.

Verser la vinaigrette sur la salade et bien mélanger. Garnir de pacanes.

1	**pomme McIntosh non pelée, sans le cœur, en fines tranches**	**1**
1	**pomme Granny Smith non pelée, sans le cœur, en fines tranches**	**1**
1	**branche de céleri en tranches fines**	**1**
125 ml	**raisins verts en moitiés**	**1/2 tasse**
200 ml	**chou rouge émincé**	**3/4 tasse**
15 ml	**jus de citron**	**1 c. à soupe**
75 ml	**yogourt nature**	**1/3 tasse**
15 ml	**mayonnaise légère**	**1 c. à soupe**
5 ml	**moutarde forte**	**1 c. à thé**
10 ml	**miel**	**2 c. à thé**
15 ml	**ciboulette hachée ou 5 ml (1 c. à thé) de ciboulette séchée**	**1 c. à soupe**
2 ml	**graines de céleri**	**1/2 c. à thé**
	sel et poivre	
50 ml	**pacanes ou noix de Grenoble rôties hachées**	**1/4 tasse**

Tutti frutti à la sauce aux graines de pavot

Une façon alléchante de se « fruiter » le bec! La sauce se conservera jusqu'à sept jours au réfrigérateur dans un contenant hermétique.

PRÉPARATION : 20 MIN | **6 PORTIONS DE 250 ML (1 TASSE)**

500 ml	**cantaloup en dés**	**2 tasses**
500 ml	**melon miel en dés**	**2 tasses**
250 ml	**mangue pelée, en dés**	**1 tasse**
1	**kiwi pelé, en cubes**	**1**

Sauce

200 ml	**yogourt nature**	**3/4 tasse**
30 ml	**jus d'orange concentré surgelé, non dilué**	**2 c. à soupe**
15 ml	**graines de pavot rôties**	**1 c. à soupe**
5 ml	**sucre**	**1 c. à thé**
5 ml	**zeste d'orange**	**1 c. à thé**

Mettre les fruits dans un bol et mêler délicatement.

Mélanger tous les ingrédients de la sauce jusqu'à homogénéité et verser sur les fruits.

Variante

Pour un dessert express, servir cette sauce sur une salade de fruits du commerce! Ou verser sur des petits fruits frais.

Truc

Pour préparer la mangue, couper le fruit en deux dans le sens de la longueur en longeant le plus près possible le dessus du noyau. Inciser la chair d'un motif de croisillon, en prenant garde de ne pas transpercer la pelure. Retourner les moitiés de mangue pour faire ressortir les cubes de chair.

Info nutritionnelle

La mangue constitue une excellente source de vitamines A et C. Sa chair est souvent douce comme celle de la pêche, mais son goût est légèrement plus épicé.

Par portion

Calories 105
Glucides 22 g
Protéines 3,2 g
Fibres alimentaires 1,8 g
Matières grasses 1,5 g
Sodium 37 mg

Excellente source de vitamine A et de vitamine C
Bonne source d'acide folique
Source de vitamine B_{12}, de magnésium et de calcium
Faible en gras

Pains, pizzas, sandwichs et garnitures

Finie la routine du sandwich jambon-fromage ! Grâce aux suggestions suivantes, les petits affamés auront hâte de voir ce qui se cache sous le pain… et d'y mordre à belles dents !

Rouleaux au thon

Express

Bien roulé! Voilà un sandwich qui se mange facilement… sans faire de miettes!

PRÉPARATION : 5 MIN **3 ROULEAUX**

1	**boîte (85 g/3 oz) de thon pâle émietté aux tomates séchées et basilic**	**1**
30 ml	**fromage à la crème allégé ramolli**	**2 c. à soupe**
3	**tortillas de 15 cm (6 po) de diamètre**	**3**
	quelques feuilles de laitue	

Mélanger le thon et le fromage à la crème jusqu'à homogénéité. Tartiner chaque tortilla d'environ 30 ml (2 c. à soupe) du mélange, garnir de feuilles de laitue et rouler serré.

Variantes

Utiliser une boîte de 170 g (6 oz) de thon pâle émietté dans l'eau, bien égoutté, et mélanger avec 50 ml (1/4 tasse) de fromage à la crème et 5 ml (1 c. à thé) de ciboulette séchée ou avec 15 ml (1 c. à soupe) de sauce rémoulade (voir p. 78). Cette version donnera 6 rouleaux.

Mettre des bâtonnets de concombre, de courgette ou de carotte au centre de la tortilla, puis rouler et trancher en rondelles.

Ajouter 50 ml (1/4 tasse) de carotte ou de courgette râpée au mélange de thon.

Par rouleau

Calories 116
Glucides 12 g
Protéines 11 g
Fibres alimentaires 1,3 g
Matières grasses 1,3 g
Sodium 124 mg

Excellente source de vitamine B_{12}
Source de magnésium, de calcium et de fer
Faible en gras

Rouleaux au thon

Sandwich au poulet grillé et aux oignons caramélisés

Plat principal • Chaud/froid

Cette préparation de poulet et d'oignons peut aussi se manger en tartine, chaude ou froide.

PRÉPARATION : 10 MIN **CUISSON : 20 MIN** **4 SANDWICHS**

5 ml	huile	1 c. à thé
500 ml	oignons espagnols émincés finement	2 tasses
45 ml	sucre	3 c. à soupe
30 ml	vinaigre de cidre ou blanc	2 c. à soupe
1 ml	thym	1/4 c. à thé
4	demi-poitrines de poulet grillées (environ 300g/10 oz)	4
15 ml	moutarde forte	1 c. à soupe
15 ml	mayonnaise légère	1 c. à soupe
8	tranches de pain de seigle pâle ou 4 pains ciabatta, coupés en deux horizontalement	8

Chauffer l'huile et faire revenir les oignons 2 min. Couvrir et cuire 6 min ou jusqu'à ce qu'ils aient ramolli. Ajouter le sucre, le vinaigre et le thym. Cuire à découvert 10 min, en brassant de temps en temps, jusqu'à ce que les oignons soient légèrement dorés. Réserver.

Tartiner 4 tranches de pain de moutarde et de mayonnaise, déposer une demi-poitrine de poulet, garnir d'environ 30 ml (2 c. à soupe) d'oignons caramélisés. Refermer le sandwich avec les autres tranches de pain.

Une longueur d'avance

Les oignons caramélisés peuvent se préparer quelques jours d'avance. Ils sont délicieux également dans un hamburger.

Truc

Pour diminuer les vapeurs lacrymogènes des oignons, les placer au réfrigérateur pendant plusieurs heures ou au congélateur pendant 20 min avant de les couper.

Saviez-vous que...

Tous les oignons deviennent plus sucrés en cuisant, mais certaines variétés sont naturellement plus sucrées. C'est le cas des oignons d'Espagne, délicieux dans les relishs, en salade ou dans les sandwichs.

Par sandwich

Calories 310
Glucides 44 g
Protéines 25 g
Fibres alimentaires 2,8 g
Matières grasses 4,5 g
Sodium 398 mg

Bonne source d'acide folique et de magnésium
Source de vitamine B_{12}, de vitamine C, de calcium, de fer et de fibres

Sandwich shish taouk express

Plat principal

Les amateurs de *shish taouk* retrouveront ici avec bonheur la saveur qu'ils apprécient tant. Ce sandwich est délicieux avec la salade du Moyen-Orient (voir p. 105).

PRÉPARATION : 15 MIN **ATTENTE : 1 H** **CUISSON : 25 MIN** ***6 shish taouk***

Une longueur d'avance

Le poulet peut être préparé et cuit jusqu'à 3 jours à l'avance.

Trucs

Bien emballés dans du papier ciré, les sandwichs peuvent être réchauffés au four à micro-ondes.

Garder au congélateur plusieurs variétés de pain (pitas, tortillas, bagels, pains tranchés ou ronds) et utiliser au besoin juste la quantité nécessaire.

Par *shish taouk*

Calories 380
Glucides 45 g
Protéines 31 g
Fibres alimentaires 1,8 g
Matières grasses 8,4 g
Sodium 439 mg

Bonne source d'acide folique et de fer
Source de vitamine B_{12}, de vitamine C et de calcium

500 g	**poitrines de poulet désossées**	**1 lb**
30 ml	**jus de citron**	**2 c. à soupe**
15 ml	**huile**	**1 c. à soupe**
1 ml	**cumin**	**1/4 c. à thé**
1 ml	**coriandre**	**1/4 c. à thé**
1 ml	**cannelle**	**1/4 c. à thé**
6	**gousses d'ail écrasées**	**6**
6	**pitas de 15 cm (6 po)**	**6**
125 ml	**hoummos (du commerce ou voir p. 74)**	**1/2 tasse**
125 ml	**tzatziki**	**1/2 tasse**
125 ml	**oignons rouges en rondelles**	**1/2 tasse**
12	**tranches de tomates**	**12**
3	**cornichons salés, en deux sur la longueur**	**3**

Préchauffer le four à 190 °C (375 °F).

Déposer le poulet dans un sac en plastique à fermoir. Ajouter le jus de citron, l'huile, les assaisonnements et l'ail. Fermer le sac et agiter vigoureusement. Laisser mariner au moins une heure au réfrigérateur.

Déposer les morceaux de poulet sur une plaque huilée et cuire au four préchauffé pendant 20 min ou jusqu'à ce que le poulet ait perdu sa coloration rosée. Couper en lanières.

Tartiner les pitas de hoummos et de tzatziki. Répartir le poulet, les oignons, les tomates et les cornichons entre les 6 pitas et rouler.

Servir immédiatement.

Sandwich au poulet et au chutney à la mangue

Express • Plat principal

Ce sandwich peut aussi se préparer avec des tranches de rôti de dindon ou de porc.

PRÉPARATION : 10 MIN **4 PITAS FARCIS**

250 ml	**poulet cuit en morceaux**	**1 tasse**
30 ml	**chutney à la mangue**	**2 c. à soupe**
30 ml	**yogourt nature**	**2 c. à soupe**
15 ml	**mayonnaise légère**	**1 c. à soupe**
5 ml	**ciboulette séchée**	**1 c. à thé**
	feuilles d'épinards ou de laitue	
	tranches de concombre	
4	**pitas de blé entier de 15 cm (6 po)**	**4**

Mélanger le poulet, le chutney, le yogourt, la mayonnaise et la ciboulette jusqu'à homogénéité.

Remplir chaque pita d'environ 75 ml (1/3 tasse) du mélange, de feuilles d'épinards ou de laitue et de tranches de concombre.

Variante

Hacher finement tous les ingrédients au robot culinaire pour obtenir une texture tartinable.

Truc

Utiliser du pain congelé pour la préparation des sandwichs. Il se tartine facilement et aide à garder la fraîcheur des sandwichs.

Saviez-vous que...

Le chutney est un condiment aigre-doux à base de fruits ou de légumes cuits dans du vinaigre, du sucre et des épices. Il est plus ou moins pimenté et a la consistance d'une confiture. Le mot chutney est dérivé de l'hindou *chatni* qui signifie « épices fortes ».

Par pita

Calories 275
Glucides 43 g
Protéines 20 g
Fibres alimentaires 4,8 g
Matières grasses 3,8 g
Sodium 405 mg

Bonne source de magnésium, de fer et de fibres
Source de vitamine B_{12} et d'acide folique

Sandwhich grillé à la pomme et au fromage

Sandwhich au poulet et au chutney à la mangue

Sandwich grillé à la pomme et au fromage

Express • Chaud/froid

Ce sandwich peut se déguster aussi bien chaud qu'une fois refroidi.

PRÉPARATION : 10 MIN — **1 SANDWICH**

2	**tranches de pain de blé entier ou de pain aux noix**	2
10 ml	**beurre ou margarine**	2 c. à thé
5 ml	**moutarde à l'ancienne**	1 c. à thé
2	**tranches d'emmenthal (env. 30 g/1 oz)**	2
1/2	**pomme rouge non pelée, en tranches fines**	1/2
	brins de cresson, laitue émincée ou luzerne	
	feuilles de menthe (facultatif)	

Beurrer les deux tranches de pain.

En déposer une dans un poêlon antiadhésif, le côté beurré en dessous. Tartiner la surface de moutarde. Étendre une tranche de fromage, les tranches de pomme, quelques brins de cresson, quelques feuilles de menthe puis l'autre tranche de fromage.

Refermer le sandwich, le côté beurré du pain sur le dessus.

Faire dorer de chaque côté jusqu'à ce que le fromage soit fondu.

Variante

Utiliser du fromage aux noix ou du roquefort, des fromages qui se marient bien à la saveur de la pomme. Ou remplacer la pomme par une poire.

Truc

Éviter de ranger les pains à croûte dure dans un sac en plastique : la mie reste humide tandis que la croûte ramollit. Les conserver plutôt à la température ambiante, non emballés, sur la face coupée. Après un jour ou deux, les envelopper dans une serviette de tissu ou les déposer dans une boîte à pain.

Par portion

Calories 361
Glucides 40 g
Protéines 14 g
Fibres alimentaires 4,6 g
Matières grasses 18 g
Sodium 440 mg

Excellente source de vitamine B_{12} et de calcium
Bonne source de vitamine A, d'acide folique et de fibres
Source de vitamine C, de magnésium et de fer

Express • Végétarien

Tartinade croquante au fromage

Succulents contrastes que le crémeux du fromage, le croquant des noix et le croustillant de la pomme! Cette tartinade se savoure sur les rôties le matin, en sandwich le midi ou en collation sur des craquelins l'après-midi. Elle se conserve trois jours au réfrigérateur.

PRÉPARATION: 10 MIN **250 ML (1 TASSE)**

Truc

La saveur des noix s'accentue lorsqu'on les fait rôtir à sec, dans un poêlon ou au four, pendant quelques minutes ou jusqu'à ce qu'elles soient odorantes. On peut en préparer une certaine quantité à l'avance et la congeler pour un usage ultérieur.

Par portion de 30 ml

Calories 60
Glucides 3,7 g
Protéines 1,9 g
Fibres alimentaires 0,4 g
Matières grasses 4,6 g
Sodium 106 mg

Source de vitamine A

125 g	**fromage à la crème allégé ramolli**	**4 oz**
50 ml	**pomme pelée, râpée**	**1/4 tasse**
50 ml	**carotte râpée**	**1/4 tasse**
45 ml	**noix hachées rôties**	**3 c. à soupe**
30 ml	**raisins secs**	**2 c. à soupe**

Mélanger tous les ingrédients jusqu'à homogénéité.

Pan-bagnat

Express • Plat principal

En provençal, pan-bagnat signifie « pain baigné » d'huile d'olive; il s'agit en fait de la traditionnelle salade niçoise servie en sandwich dans un morceau de baguette.

PRÉPARATION : 10 MIN — **4 PANS-BAGNATS**

1	baguette de 56 cm (22 po)	1
30 ml	mayonnaise légère	2 c. à soupe
10 ml	moutarde forte	2 c. à thé
1	gousse d'ail hachée	1
1	boîte (170 g/6 oz) de thon dans l'eau, égoutté	1
45 ml	olives noires hachées	3 c. à soupe
3 ml	pâte d'anchois (facultatif)	3/4 c. à thé
1	tomate en dés	1
2	œufs durs en tranches	2
1/2	concombre en tranches	1/2
	laitue (mélange mesclun)	

Couper la baguette en 4 morceaux d'égale longueur puis couper chacun en deux sur la longueur. Réserver.

Dans un bol moyen, mettre la mayonnaise, la moutarde et l'ail. Ajouter le thon, les olives noires et la pâte d'anchois. Incorporer délicatement la tomate.

Tartiner 4 morceaux de pain de 50 ml (1/4 tasse) du mélange de thon chacun, étaler les tranches d'œufs et de concombre et garnir du mesclun.

Refermer les sandwichs avec les autres morceaux de pain.

Truc

Les sandwichs peuvent être enveloppés et conservés jusqu'à 8 h au réfrigérateur, tandis que la garniture au thon peut s'y conserver jusqu'à deux jours.

Saviez-vous que...

Au réfrigérateur, les œufs frais se conservent environ 1 mois (vérifier la date de péremption sur la boîte) et les œufs durs, jusqu'à une semaine.

Info nutritionnelle

Le mélange de laitues appelé mesclun (mot qui provient du provençal et signifie « mélange ») se compose généralement de laitue frisée, roquette, feuilles de chêne, radicchio, jeunes feuilles de scarole et mâche. Son goût est légèrement amer.

Par sandwich

Calories 357
Glucides 49 g
Protéines 20 g
Fibres alimentaires 2,0 g
Matières grasses 7,8 g
Sodium 639 mg

Excellente source de vitamine B_{12} et de fer
Bonne source d'acide folique
Source de vitamine A, de vitamine C, de magnésium, de calcium et de fibres

Pan-bagnat

Persillade tomatée

Express • Se congèle

Une tartinade des plus polyvalentes! À essayer sur du pain grillé, dans une salade de pâtes, sur du poulet grillé, mélangée à du thon en conserve pour en faire une garniture à sandwich express ou combinée à de la mayonnaise.

PRÉPARATION : 10 MIN **125 ML (1/2 TASSE)**

500 ml	**persil**	**2 tasses**
2	**gousses d'ail hachées**	**2**
15 ml	**pâte de tomates**	**1 c. à soupe**
15 ml	**vinaigre de vin blanc**	**1 c. à soupe**
30 ml	**huile d'olive extra-vierge**	**2 c. à soupe**

Mélanger tous les ingrédients au robot culinaire. Réfrigérer toute la nuit.

Servir à la température ambiante sur du pain grillé.

Variante

Incorporer 15 ml (1 c. à soupe) de parmesan râpé et 15 ml (1 c. à soupe) de pignons grillés pour obtenir un pesto au persil.

Par portion de 15 ml

Calories 36
Glucides 1,9 g
Protéines 0,5 g
Fibres alimentaires 0,8 g
Matières grasses 3,3 g
Sodium 6 mg

Source de vitamine A, d'acide folique, de vitamine C et de fer

Sandwich aux œufs

Express • Végétarien

Ce sandwich peut aussi se préparer avec 3 blancs d'œufs et 1 œuf entier pour diminuer la teneur en cholestérol.

PRÉPARATION : 10 MIN **3 SANDWICHS**

Variantes

À l'indienne : remplacer la ciboulette par 2 ml (1/2 c. à thé) de poudre de cari et une pincée de cayenne.

À la méditerranéenne : remplacer la ciboulette et la carotte râpée par 5 ml (1 c. à thé) de câpres et 15 ml (1 c. à soupe) de persil haché. Ajouter 1 ml (1/4 c. à thé) de pâte d'anchois (facultatif).

Truc

Quand les œufs durs sont cuits, les placer immédiatement dans l'eau froide pour éviter l'apparition d'un cercle verdâtre autour du jaune.

Par sandwich

Calories 270
Glucides 35 g
Protéines 12 g
Fibres alimentaires 4,5 g
Matières grasses 8,9 g
Sodium 532 mg

Excellente source de vitamine A et d'acide folique
Bonne source de fer et de fibres
Source de magnésium et de calcium

3	**œufs durs**	**3**
30 ml	**yogourt nature ou crème sure légère**	**2 c. à soupe**
15 ml	**mayonnaise légère**	**1 c. à soupe**
1	**petite carotte ou courgette râpée**	**1**
15 ml	**ciboulette hachée ou 5 ml (1 c. à thé) de ciboulette séchée**	**1 c. à soupe**
	luzerne, pousses de radis ou cresson	
6	**tranches de pain de seigle ou pumpernickel**	**6**

Réduire les œufs en une purée lisse au robot culinaire. Transférer dans un petit bol et incorporer le yogourt, la mayonnaise, la carotte râpée et la ciboulette.

Tartiner 3 tranches de pain de cette garniture. Garnir de luzerne ou autre verdure. Refermer les sandwichs avec les autres tranches de pain.

Emperadado au rôti de bœuf

Express • Plat principal

En espagnol, le mot *emperadado* (qui comprend *pared* pour « mur » ou « l'emmuré ») signifie « sandwich ». Celui-ci se prépare également avec des tranches de rôti de dindon ou de porc.

PRÉPARATION : 10 MIN — **3 SANDWICHS**

1	**avocat moyen pelé**	**1**
45 ml	**salsa douce**	**3 c. à soupe**
15 ml	**beurre ou margarine**	**1 c. à soupe**
6	**tranches de pain de blé entier ou 3 pains ciabatta, coupés en deux horizontalement**	**6**
125 g	**rôti de bœuf en tranches**	**1/4 lb**
	feuilles de cresson ou de laitue	
	tranches de tomates	

Déposer les morceaux d'avocat dans un petit bol et les écraser à la fourchette. Incorporer la salsa et réserver.

Beurrer les tranches de pain pour éviter que la garniture ne le mouille.

Tartiner 3 tranches de pain de la garniture. Y déposer les tranches de rôti de bœuf, garnir de feuilles de cresson et de tranches de tomates.

Refermer les sandwichs.

Trucs

Pour préparer l'avocat, le couper en deux dans l'épaisseur en contournant le noyau, puis tourner les deux moitiés dans le sens inverse pour les séparer. Planter la lame d'un couteau dans le noyau et tourner pour le détacher.

Congeler les restes de rôtis de viande. Partiellement décongelés, ils se tailleront facilement en tranches fines pour les sandwichs ou les salades.

On trouve sur le marché du rôti de bœuf cuit en tranches, nature ou assaisonné.

Info nutritionnelle

L'avocat est une excellente source de vitamine B_6, d'acide folique et de magnésium ainsi que de gras monoinsaturés, un type de gras bénéfique pour la santé cardiaque.

Par sandwich

Calories 360
Glucides 33 g
Protéines 19 g
Fibres alimentaires 5,7 g
Matières grasses 19 g
Sodium 501 mg

Excellente source de vitamine B_{12}, d'acide folique, de magnésium et de fer
Bonne source de fibres
Source de vitamine A, de vitamine C et de calcium

Emperadado au rôti de bœuf

Végé-burgers

Se congèle • Végétarien

Nature ou dans un pain hamburger, cette préparation, une fois cuite, ressemble à s'y méprendre à la viande hachée. Mais elle est beaucoup plus savoureuse!

PRÉPARATION : 10 MIN | **CUISSON : 20 MIN** | **6 VÉGÉ-BURGERS**

10 ml	huile	2 c. à thé
1	oignon moyen haché	1
3	gousses d'ail hachées	3
8	champignons en lamelles	8
125 ml	noix de Grenoble ou pacanes rôties	1/2 tasse
250 ml	riz cuit	1 tasse
250 ml	courgette râpée	1 tasse
250 ml	miettes de pain frais	1 tasse
15 ml	basilic haché ou 5 ml (1 c. à thé) de basilic séché	1 c. à soupe
1	œuf	1
	sel et poivre	

Dans une casserole, chauffer l'huile à feu moyen. Ajouter l'oignon et l'ail. Cuire en remuant souvent 10 min ou jusqu'à ce que l'oignon soit translucide. Ajouter les champignons et cuire encore 5 min ou jusqu'à ce qu'ils aient ramolli.

Au robot culinaire, hacher les noix grossièrement. Ajouter le riz, la courgette et les légumes cuits. Mélanger jusqu'à l'obtention d'une texture semblable à celle de la viande hachée.

Transférer dans un grand bol. Incorporer les miettes de pain, le basilic et l'œuf. Saler et poivrer.

Façonner en 6 galettes d'environ 125 ml (1/2 tasse) chacune. Déposer sur une plaque à biscuits huilée et faire griller au four 5 à 7 min de chaque côté ou jusqu'à ce que les galettes soient dorées.

Une longueur d'avance

Préparer et façonner les galettes et les congeler pour cuire « sur demande ».

Info nutritionnelle

En plus d'être une source de bons gras monoinsaturés, les noix renferment des protéines, du magnésium, du zinc, du phosphore, des vitamines B et des fibres.

Par burger

Calories 170
Glucides 18 g
Protéines 4,9 g
Fibres alimentaires 1,7 g
Matières grasses 9,3 g
Sodium 37 mg

Source d'acide folique, de vitamine C, de magnésium et de fer

Quesadillas italiens

Chaud/froid

Le « grilled cheese » mexicain apprêté à l'italienne! Délicieux grillé à la poêle ou au four, chaud ou froid. La préparation aux légumes se conserve jusqu'à trois jours au réfrigérateur dans un contenant hermétique.

PRÉPARATION : 10 MIN **CUISSON : 15 MIN** **4 QUESADILLAS**

5 ml	**huile**	**1 c. à thé**
1	**petit oignon haché**	**1**
1	**poivron rouge, jaune ou vert moyen, en dés**	**1**
1	**gousse d'ail hachée**	**1**
1	**petite tomate hachée (italienne de préférence)**	**1**
30 ml	**olives noires en rondelles (facultatif)**	**2 c. à soupe**
2 ml	**basilic séché**	**1/2 c. à thé**
4	**tortillas de 25 cm (10 po)**	**4**
250 ml	**cheddar mi-fort ou Monterey Jack râpé**	**1 tasse**

Dans un poêlon, chauffer l'huile et y faire revenir l'oignon, le poivron et l'ail. Cuire pendant 10 min ou jusqu'à ce que le poivron soit tendre.

Retirer du feu. Incorporer la tomate, les olives noires et le basilic. (Cette préparation d'environ 250 ml/1 tasse peut se congeler.)

Placer 2 tortillas sur une surface de travail. Parsemer chacune d'environ 50 ml (1/4 tasse) de fromage en laissant une bordure de 2 cm (3/4 po). Étaler la moitié de la préparation aux légumes sur chaque tortilla. Parsemer du reste du fromage. Déposer les 2 autres tortillas en pressant légèrement.

Cuire dans un poêlon antiadhésif 3 min, puis retourner et cuire encore 3 min ou jusqu'à ce que le fromage soit fondu et que les *quesadillas* soient chauds.

Les couper en pointes et servir.

Variante

Pour une version ultra-rapide, prendre une salsa et du fromage râpé du commerce et procéder de la même manière.

Truc

Dans la plupart des recettes, on peut mettre moins de fromage qu'indiqué, mais choisir un fromage au goût plus prononcé, comme un cheddar fort ou extra-fort (dans cette recette), un parmesan, un bleu ou un emmenthal.

Saviez-vous que...

Lorsqu'elles sont coupées, les tomates italiennes conservent leur forme plus facilement et ne rejettent pas beaucoup de jus. Si vous utilisez une autre variété de tomate, l'épépiner pour diminuer la quantité de jus.

Par portion

Calories 271, Glucides 30 g
Protéines 11 g
Fibres alimentaires 3,6 g
Matières grasses 13 g
Sodium 294 mg

Excellente source de vitamine C et de calcium
Bonne source de vitamine A et de magnésium
Source de vitamine B_{12}, d'acide folique, de fer et de fibres

Scones aux olives noires, au parmesan et aux pignons

Se congèle

Rien de tel qu'un savoureux scone tout chaud servi avec une bonne soupe fumante ou un bol de chili bien relevé.

PRÉPARATION : 10 MIN **CUISSON : 20 MIN** **9 SCONES**

375 ml	**farine tout usage**	**1 1/2 tasse**
200 ml	**farine de blé entier**	**3/4 tasse**
100 ml	**parmesan râpé**	**6 c. à soupe**
15 ml	**poudre à pâte**	**1 c. à soupe**
5 ml	**basilic séché**	**1 c. à thé**
125 ml	**olives noires dénoyautées hachées**	**1/2 tasse**
30 ml	**pignons rôtis**	**2 c. soupe**
325 ml	**lait écrémé ou babeurre**	**1 1/3 tasse**
	huile	

Préchauffer le four à 200 °C (400 °F).

Dans un grand bol, mélanger les farines, le parmesan, la poudre à pâte, le basilic, les olives et les pignons. Faire un puits au centre des ingrédients secs, y verser le lait, puis remuer juste assez pour humecter les ingrédients.

À l'aide d'une cuillère, verser la préparation par grosses cuillerées (environ 45 ml/3 c. à soupe) sur une plaque à biscuits légèrement huilée. Vaporiser les scones d'un peu d'huile.

Cuire au four 20 à 25 min ou jusqu'à ce que les scones soient fermes au toucher.

Variante

Pour une tout autre saveur, remplacer les olives noires par 60 g (2 oz) de pancetta (bacon italien) et le parmesan par du gorgonzola (ou un autre fromage bleu) émietté.

Truc

Travailler la pâte délicatement et brièvement pour éviter que les scones ne soient trop denses.

Par scone

Calories 167
Glucides 28 g
Protéines 7,2 g
Fibres alimentaires 2,6 g
Matières grasses 3,3 g
Sodium 255 mg

Source de vitamine B_{12}, d'acide folique, de magnésium, de calcium, de fer et de fibres

Pizza aux oignons et au gorgonzola

Simplicité d'exécution et qualité des ingrédients donnent un chic fou à cette pizza «pour adultes seulement»...

PRÉPARATION : 20 MIN **CUISSON : 5 MIN** **6 POINTES**

500 ml	oignons espagnols émincés	2 tasses
15 ml	huile	1 c. à soupe
1	croûte à pizza mince de 25 cm (10 po) de diamètre	1
100 g	gorgonzola émietté	3 oz
	feuilles de basilic	
45 ml	pignons rôtis	3 c. à soupe
	poivre	

Préchauffer le four à 200 °C (400 °F).

Faire revenir les oignons dans l'huile jusqu'à ce qu'ils soient dorés, soit pendant environ 15 min (s'ils collent, ajouter quelques cuillerées d'eau et poursuivre la cuisson). Répartir sur la croûte à pizza. Garnir du gorgonzola émietté, des feuilles de basilic et des pignons. Poivrer.

Faire cuire au four 5 min ou jusqu'à ce que la pizza soit dorée.

Variante

Pour une saveur encore plus surprenante, remplacer les oignons par 2 poires coupées en lamelles et omettre le basilic.

Saviez-vous que...

Dans le monde savoureux des fromages bleus, le gorgonzola est aussi connu en Italie que le roquefort en France et le stilton en Angleterre. Sa saveur est riche et quelque peu piquante.

Par pointe

Calories 244
Glucides 27 g
Protéines 9,7 g
Fibres alimentaires 1,7 g
Matières grasses 11 g
Sodium 461 mg

Bonne source de fer
Source de vitamine B_{12}, d'acide folique, de vitamine C, de magnésium et de calcium

Pizzas pochettes

Se congèle • Végétarien

Cette recette remporte la palme haut la main sur ses concurrents du commerce pour sa saveur, sa valeur nutritive et son coût. Et la livraison est gratuite!

PRÉPARATION : 15 MIN **CUISSON : 10 MIN** **6 POCHETTES**

5 ml	**huile**	**1 c. à thé**
1	**petit oignon émincé**	**1**
375 ml	**champignons en lamelles**	**1 1/2 tasse**
15 ml	**tomates séchées, réhydratées et hachées**	**1 c. à soupe**
6	**tortillas de blé de 25 cm (10 po) de diamètre**	**6**
1	**boîte (213 ml/7,5 oz) de sauce à pizza**	**1**
20	**tranches de pepperoni-pizza végétarien (60g/2 oz)**	**20**
250 ml	**mozzarella partiellement écrémée râpée**	**1 tasse**

Préchauffer le four à 200 °C (400 °F).

Dans une poêle antiadhésive, chauffer l'huile et faire revenir les oignons, les champignons et les tomates séchées jusqu'à ce que les oignons soient transparents.

Placer les tortillas sur une surface de travail et y étaler la sauce à pizza. Répartir le mélange de légumes, les tranches de pepperoni et la mozzarella au centre de chaque tortilla. Former une pochette en rabattant sur la garniture le bord rapproché de la tortilla, puis les côtés et enfin le bord éloigné. Déposer les pochettes, côté plié vers le dessous, sur une plaque à biscuits. Cuire au four 10 min ou jusqu'à ce que les pochettes soient bien chaudes. Au micro-ondes, le temps de cuisson pour une pochette est d'environ 30 s à la puissance maximale.

Variante

Pour varier, utiliser des tortillas aromatisées au pesto, aux fines herbes ou aux tomates séchées.

Saviez-vous que...

Une seule pizza pochette du commerce (c'est environ 100 g/3 oz, soit l'équivalent de « seulement » 1/8 d'une pizza de 30 cm/12 po de diamètre) fournit autant de gras que 2 carrés de beurre et 20 % de la quantité de sodium recommandée dans une journée.

Info nutritionnelle

On trouve sur le marché du pepperoni, des saucisses, du bacon et d'autres charcuteries faits de soja. Une façon de couper dans le gras saturé, le cholestérol et le sodium, dans les mets cuisinés où ils passent facilement incognito...

Par pochette

Calories 219
Glucides 30 g
Protéines 12 g
Fibres alimentaires 3,6 g
Matières grasses 6,2 g
Sodium 422 mg

Bonne source de vitamine B_{12}, de magnésium et de calcium
Source de vitamine A, d'acide folique, de vitamine C, de fer et de fibres

Œufs et pâtes alimentaires

Ce sont des aliments faciles à digérer, nutritifs, polyvalents, économiques et, en prime, ils plaisent aux papilles de tous âges. Y a de quoi en faire un plat!

Coco confetti au riz

Express • Végétarien • Chaud/froid

Un plat sans prétention, rapide et nutritif que les enfants peuvent réaliser eux-mêmes!

PRÉPARATION : 5 MIN **CUISSON : 5 MIN** **4 PORTIONS**

250 ml	**riz brun cuit**	**1 tasse**
3	**œufs**	**3**
1	**oignon vert haché finement**	**1**
30 ml	**poivron rouge en dés**	**2 c. à soupe**
30 ml	**maïs en grains ou pois verts cuits**	**2 c. à soupe**
30 ml	**lait**	**2 c. à soupe**
5 ml	**persil séché**	**1 c. à thé**
45 ml	**mozzarella partiellement écrémée râpée**	**3 c. à soupe**
5 ml	**moutarde forte**	**1 c. à thé**
	sel et poivre	

Dans un bol, mélanger tous les ingrédients. Saler et poivrer.

Répartir dans 4 ramequins allant au micro-ondes d'une capacité de 125 ml (1/2 tasse) chacun.

Cuire ensemble à la puissance maximale 4 à 6 min ou jusqu'à ce que la préparation soit prise. Pour cuire un ramequin à la fois, prévoir 1 min 30 s à la puissance maximale.

Laisser refroidir légèrement avant de démouler sur une assiette et servir.

Trucs

Laisser les œufs frais dans leur boîte de carton pour les garder à l'abri des odeurs. Éviter de les ranger dans la porte du réfrigérateur, car la température y est plus élevée.

Pour réchauffer ou cuire les mets au micro-ondes, n'utiliser que les contenants et les pellicules de plastique dont l'étiquette spécifie qu'ils sont utilisables à cet effet.

Info nutritionnelle

Les œufs possèdent une bonne valeur nutritive pour peu de calories. Qu'ils soient bruns ou blancs, peu importe : la couleur de la coquille dépend uniquement de la race de la poule et n'influence ni le goût ni la valeur nutritive.

Par portion

Calories 138
Glucides 14 g
Protéines 8,0 g
Fibres alimentaires 1,1 g
Matières grasses 5,3 g
Sodium 99 mg

Bonne source de vitamine B_{12}
Source de vitamine A, d'acide folique, de vitamine C, de magnésium, de calcium et de fer

Coco confetti au riz

Quiche forestière

Se congèle · Végétarien · Chaud/froid

J'craque pour toi, ma quiche, surtout avec une salade verte bien croquante! Voilà un plat qui se prépare sans chichi ni gâchis.

PRÉPARATION: 15 MIN **CUISSON: 50 MIN** **6 PORTIONS**

10 ml	**huile**	**2 c. à thé**
500 ml	**poireau haché**	**2 tasses**
250 ml	**champignons en lamelles**	**1 tasse**
1	**fond de tarte de 23 cm (9 po) de diamètre, non cuit**	**1**
1	**contenant (250 g/1/2 lb) de cottage 1 % m.g.**	**1**
3	**œufs battus**	**3**
100 ml	**lait**	**6 c. à table**
2 ml	**sel**	**1/2 c. à thé**
1 ml	**poivre**	**1/4 c. à thé**
15 ml	**ciboulette hachée ou 5 ml (1 c. à thé) de ciboulette séchée**	**1 c. à soupe**

Préchauffer le four à 190 °C (375 °F).

Dans un petit poêlon, chauffer l'huile à feu moyen. Ajouter le poireau et les champignons et cuire en remuant de temps en temps environ 10 min ou jusqu'à ce que le liquide de cuisson se soit évaporé.

Étaler uniformément les légumes dans le fond de tarte, et réserver.

Dans un bol, mélanger le cottage, les œufs, le lait, le sel, le poivre et la ciboulette. Verser sur les légumes.

Déposer la quiche (dans son assiette) sur une plaque à biscuits et cuire au four 50 à 55 min ou jusqu'à ce que le dessus soit doré.

Une longueur d'avance

Préparer deux quiches à la fois. En consommer une le jour même et congeler l'autre pour plus tard.

Trucs

Lorsque les fonds de tarte sont dans une assiette d'aluminium, les cuire en déposant l'assiette sur une plaque à biscuits. Le dessous sera doré et bien cuit.

Préparer cette recette sans croûte pour réaliser une économie de 150 calories et 10 g de gras par portion. Ne pas oublier alors de bien huiler l'assiette à tarte.

L'ajout de cottage procure un peu de calcium à cette recette, réduit la quantité d'œufs à utiliser et contribue à sa texture.

Par portion

Calories 263
Glucides 21 g
Protéines 12 g
Fibres alimentaires 1,1 g
Matières grasses 15 g
Sodium 566 mg

Excellente source de vitamine B_{12}
Bonne source d'acide folique
Source de vitamine A, de vitamine C, de magnésium, de calcium et de fer

Tortilla española

Végétarien • Chaud/froid

Et *Viva España!* Cette omelette espagnole pleine de saveur se prépare en un tournemain.

PRÉPARATION: 10 MIN **CUISSON: 15 MIN** **4 PORTIONS**

Trucs

Cette tortilla se réchauffe facilement au micro-ondes. Mais elle est tout aussi délicieuse servie froide.

Si la poignée de votre poêlon est en bois ou en plastique, l'envelopper de papier d'aluminium pour la protéger de la chaleur du four.

Saviez-vous que...

En espagnol, le mot *tortilla* signifie «petit gâteau». L'omelette espagnole se prépare toujours avec un mélange d'œufs et de pommes de terre.

Par portion

Calories 199
Glucides 21 g
Protéines 10 g
Fibres alimentaires 2,2 g
Matières grasses 8,7 g
Sodium 85 mg

Excellente source de vitamine B_{12} et de vitamine C
Bonne source de vitamine A et d'acide folique
Source de magnésium, de fer et de fibres

A feu moyen, chauffer l'huile dans un poêlon antiadhésif et ajouter tous les légumes. Couvrir et laisser cuire 10 min ou jusqu'à ce que les pommes de terre soient tendres. Saler et poivrer.

Dans un bol, battre les œufs à la fourchette. Ajouter le Tabasco.

Verser le mélange d'œufs sur les légumes et cuire à feu moyen 5 min ou jusqu'à ce que le dessous de l'omelette soit doré.

On peut faire griller au four 2 à 3 min jusqu'à ce que le dessus soit doré.

10 ml	**huile**	**2 c. à thé**
2	**petites pommes de terre pelées, en tranches fines**	**2**
1	**petit oignon émincé**	**1**
1/2	**poivron rouge émincé**	**1/2**
1	**boîte (199 ml/7 oz) de maïs en grains, égoutté**	**1**
	sel et poivre	
5	**œufs**	**5**
	quelques gouttes de Tabasco	

Frittata aux artichauts et au parmesan

Express · Végétarien · Chaud/froid

La frittata, une omelette italienne, est préparée avec des légumes et grillée des deux côtés. On peut la préparer la veille et la consommer chaude ou froide.

PRÉPARATION : 5 MIN **CUISSON : 10 MIN** **5 PORTIONS**

10 ml	**huile**	**2 c. à thé**
1	**oignon moyen haché finement**	**1**
1	**gousse d'ail hachée finement**	**1**
1	**boîte (398 ml/14 oz) de cœurs d'artichauts en quartiers**	**1**
4	**œufs**	**4**
50 ml	**parmesan râpé**	**1/4 tasse**
5 ml	**origan**	**1 c. à thé**
1 ml	**poivre**	**1/4 c. à thé**

À feu moyen, chauffer l'huile dans un poêlon antiadhésif et faire revenir l'oignon 5 min ou jusqu'à ce qu'il soit transparent. Ajouter l'ail et cuire 1 min. Ajouter les artichauts pour les réchauffer. Étaler uniformément les légumes au fond du poêlon.

Dans un bol, battre les œufs à la fourchette avec le parmesan, l'origan et le poivre. Verser le mélange d'œufs sur les légumes et cuire à feu moyen 10 min, jusqu'à ce que le dessous de l'omelette soit doré.

On peut aussi mettre le poêlon sous le gril du four pour dorer. Servir.

Truc

Cette frittata se réchauffe facilement au micro-ondes. Mais elle est tout aussi délicieuse servie froide, avec une salade verte et une tranche de pain de blé entier.

Info nutritionnelle

Dans la plupart des recettes (gâteaux, muffins, omelettes, quiches), il est possible de remplacer un ou deux œufs par deux blancs d'œufs chacun.

Par portion

Calories 165
Glucides 17 g
Protéines 11 g
Fibres alimentaires 0,6 g
Matières grasses 7,1 g
Sodium 228 mg

Excellente source d'acide folique et de magnésium
Bonne source de vitamine B_{12} et de fer
Source de vitamine A, de vitamine C et de calcium

Frittata aux artichauts et au parmesan

Nouilles aux œufs à l'italienne

Végétarien • Chaud/froid

Cette omelette nouveau genre est idéale pour « recycler » un reste de spaghetti cuit. Et elle se prépare la veille sans problème.

PRÉPARATION : 5 MIN **CUISSON : 20 MIN** **5 PORTIONS**

10 ml	huile	2 c. à thé
1	petit oignon haché	1
375 ml	champignons en lamelles	1 1/2 tasse
	sel et poivre	
6	œufs	6
15 ml	pesto ou persillade tomatée (voir p. 124)	1 c. à soupe
45 ml	parmesan râpé	3 c. à soupe
15 ml	persil haché	1 c. à soupe
500 ml	pâtes cuites (spaghetti, cheveux d'ange)	2 tasses

Sauce tomate express

5 ml	huile	1 c. à thé
1	gousse d'ail hachée	1
1	boîte (213 ml/7,5 oz) de sauce tomate	1
5 ml	sucre	1 c. à thé
1	pincée de flocons de piment	1
	sel et poivre	

À feu moyen, chauffer l'huile dans un poêlon antiadhésif, faire revenir l'oignon et les champignons en remuant de temps en temps 10 min ou jusqu'à évaporation complète de l'eau. Saler et poivrer.

Dans un bol, battre les œufs à la fourchette avec le pesto, le parmesan et le persil. Incorporer les pâtes.

Verser le mélange d'œufs sur les légumes et cuire à feu vif pendant 4 min. Baisser le feu et cuire à feu moyen jusqu'à ce que le dessous de l'omelette soit doré.

On peut aussi faire dorer l'omelette sous le gril du four pendant quelques minutes. Servir chaud ou froid avec la sauce tomate.

Sauce tomate express
Dans un petit chaudron, chauffer l'huile et faire revenir l'ail sans faire brunir. Ajouter la sauce tomate, le sucre et le piment. Laisser mijoter 10 min. Saler et poivrer.

Truc

Pour des œufs durs vite faits, utiliser le micro-ondes. Casser un œuf dans un petit ramequin huilé, perforer la membrane du jaune, couvrir d'une pellicule de plastique en relevant un des coins et cuire à intensité moyenne de 1 à 1 1/2 min ou jusqu'à ce que le jaune soit ferme. Laisser reposer 5 min. Ne jamais utiliser le micro-ondes pour cuire l'œuf dans sa coquille.

Info nutritionnelle

Pour moins de cholestérol, utiliser un mélange de blancs d'œufs et d'œufs entiers pasteurisés du commerce. On peut aussi remplacer 1 ou 2 œufs entiers par deux blancs d'œufs chacun.

Par portion

(avec la sauce tomate)
Calories 261
Glucides 26 g
Protéines 13 g
Fibres alimentaires 2,5 g
Matières grasses 12 g
Sodium 410 mg

Excellente source de vitamine B_{12}
Bonne source de vitamine A, d'acide folique et de fer
Source de vitamine C, de magnésium, de calcium et de fibres

Fettucines Alfre-tofu

Plat principal • Végétarien

Des pâtes, encore des pâtes! Les enfants raffoleront de cette sauce douce à souhait et les parents, de son côté nutritif!

PRÉPARATION: 5 MIN **CUISSON: 15 MIN** **4 PORTIONS DE 375 ML (1 1/2 TASSE)**

Variante

Pour une sauce rosée, ajouter 30 ml (2 c. à soupe) de pâte de tomates au mélange de tofu.

Saviez-vous que...

Le tofu frais est d'une belle couleur crème et pratiquement sans odeur. Sa texture est lisse, non visqueuse, ferme mais élastique.

Info nutritionnelle

Les pâtes alimentaires qui portent la mention «enrichies» sur l'étiquette ont été additionnées de fer et de quatre vitamines B (acide folique, thiamine, riboflavine et niacine). Pour les inconditionnels des pâtes blanches, c'est l'option de choix.

Par portion

Calories 375
Glucides 64 g
Protéines 16 g
Fibres alimentaires 3,7 g
Matières grasses 5,7 g
Sodium 302 mg

Excellente source de magnésium et de fer
Source de vitamine B_{12}, d'acide folique, de calcium et de fibres

1	**paquet (300 g/10 oz) de tofu mou**	**1**
125 ml	**lait**	**1/2 tasse**
5 ml	**basilic séché**	**1 c. à thé**
5 ml	**origan**	**1 c. à thé**
2 ml	**sel**	**1/2 c. à thé**
5 ml	**huile**	**1 c. à thé**
3	**gousses d'ail hachées**	**3**
30 ml	**parmesan râpé**	**2 c. à soupe**
	poivre	
350 g	**fettuccines non cuits**	**12 oz**
	parmesan râpé	

Dans un bol, à l'aide d'un mélangeur à main, réduire le tofu en purée avec le lait. Incorporer le basilic, l'origan et le sel et réserver.

Dans un grand poêlon, faire revenir l'ail dans l'huile pendant 5 min sans le faire brunir. Ajouter le mélange de tofu et le parmesan et laisser mijoter quelques minutes ou jusqu'à ce que la sauce soit chaude. Poivrer.

Pendant ce temps, cuire les fettuccines jusqu'à ce qu'ils soient *al dente*. Égoutter et y incorporer la sauce. Saupoudrer de parmesan et servir immédiatement.

Macaroni au fromage « code secret »

Express • Végétarien

Le code secret est pratiquement impossible à découvrir : la sauce est à base de tofu!

PRÉPARATION : 5 MIN **CUISSON : 10 MIN** **5 PORTIONS DE 300 ML (1 1/4 TASSE)**

1	**paquet (225 g/1/2 lb) de macaroni au fromage**	**1**
250 ml	**fusillis non cuits**	**1 tasse**
250 ml	**pois verts surgelés ou bouquets de brocoli**	**1 tasse**
1	**paquet (300 g/10 oz) de tofu mou**	**1**
30 ml	**ciboulette hachée ou 10 ml (2 c. à thé) de ciboulette séchée**	**2 c. à soupe**
	poivre	

Cuire les macaronis et les fusillis à l'eau bouillante salée. Quelques minutes avant la fin de la cuisson, ajouter les pois ou le brocoli, puis poursuivre la cuisson. Égoutter et réserver.

Pendant ce temps, à l'aide d'un mélangeur à main, réduire le tofu en purée. Incorporer le sachet de sauce au fromage contenu dans le paquet de macaroni au fromage, et la ciboulette.

Verser sur les nouilles cuites, mélanger et poivrer. Servir aussitôt.

Saviez-vous que…

Le tofu est fabriqué à partir de lait de soja auquel on a ajouté un coagulant qui le solidifie, un processus semblable à la fabrication du fromage. Contrairement au tofu ferme ou extra-ferme, le tofu mou ne peut être sauté, grillé ou poché dans une soupe; mais il est idéal pour être incorporé de façon homogène dans un mélange, sucré ou salé.

Info nutritionnelle

Le fait d'ajouter des pâtes et du tofu permet d'augmenter le rendement de la préparation commerciale tout en diminuant la teneur en sel souvent élevée dans ce type de produit.

Par portion

Calories 241
Glucides 36 g
Protéines 12 g
Fibres alimentaires 2,3 g
Matières grasses 5,4 g
Sodium 326 mg

Bonne source de magnésium et de fer
Source de vitamine A, de vitamine B_{12}, d'acide folique, de vitamine C, de calcium et de fibres

Macaroni tout garni!

Plat principal • Végétarien

Ce macaroni saura convaincre les sceptiques des substituts de viande! À moins que vous «n'oubliiez» de leur dire qu'il en contient...

PRÉPARATION: 15 MIN **CUISSON: 20 MIN** **5 PORTIONS DE 375 ML (1 1/2 TASSE)**

Variante

Ajouter une boîte (540 ml/19 oz) de haricots rouges rincés pour en faire un chili macaroni tout garni!

Truc

Le sans-viande-hachée donne de meilleurs résultats s'il est ajouté émietté à la fin de la cuisson.

Saviez-vous que...

Le sans-viande-hachée présente la même texture que la viande hachée tout en fournissant beaucoup moins de gras et autant de protéines. Un paquet de 340 g contient l'équivalent de 680 g de viande hachée cuite ou 1 kg (2 lb) de viande hachée crue.

Par portion

Calories 199
Glucides 29 g
Protéines 18 g
Fibres alimentaires 3,3 g
Matières grasses 2,0 g
Sodium 558 mg

Excellente source de vitamine A
Bonne source de vitamine C et de fer
Source de vitamine B_{12}, d'acide folique, de magnésium, de calcium et de fibres
Faible en gras

Dans une grande casserole, chauffer l'huile et faire revenir les oignons, l'ail et les carottes pendant 5 min ou jusqu'à ce que les oignons soient tendres. Incorporer les tomates, le chili, le cumin, l'origan et les flocons de piment. Amener à ébullition, baisser le feu et laisser mijoter 15 min.

Pendant ce temps, faire cuire les macaronis jusqu'à ce qu'ils soient *al dente*. Incorporer le jus de citron, les macaronis cuits, le sans-viande-hachée, la coriandre et le sel au contenu de la casserole. Poivrer.

Ajouter de l'eau si le mélange est trop épais.

5 ml	**huile**	**1 c. à thé**
1	**gros oignon haché**	**1**
2	**gousses d'ail hachées**	**2**
1	**grosse carotte en dés**	**1**
1	**boîte (28 oz/796 ml) de tomates en dés**	**1**
15 ml	**chili en poudre**	**1 c. à soupe**
5 ml	**cumin**	**1 c. à thé**
5 ml	**origan**	**1 c. à thé**
1 ml	**flocons de piment (ou plus)**	**1/4 c. à thé**
250 ml	**macaronis non cuits**	**1 tasse**
15 ml	**jus de citron ou de lime**	**1 c. à soupe**
1	**paquet (340 g/12 oz) de sans-viande-hachée émietté**	**1**
45 ml	**coriandre ou persil haché ou 15 ml (1 c. à soupe) de persil séché**	**3 c. à soupe**
2 ml	**sel**	**1/2 c. à thé**
	poivre	

Polenta mamma mia

Un p'tit goût d'Italie que vous saurez vite adopter.

PRÉPARATION : 15 MIN **CUISSON : 35 MIN** **6 PORTIONS**

10 ml	**huile**	**2 c. à thé**
1	**oignon haché**	**1**
1	**gousse d'ail hachée**	**1**
1	**poivron vert en dés**	**1**
8	**champignons en lamelles**	**8**
1	**boîte (28 oz/796 ml) de tomates en dés**	**1**
45 ml	**persil haché ou 15 ml (1 c. à soupe) de persil séché**	**3 c. à soupe**
15 ml	**basilic haché ou 5 ml (1 c. à thé) de basilic séché**	**1 c. à soupe**
2 ml	**sel**	**1/2 c. à thé**
	quelques gouttes de Tabasco	
5	**saucisses italiennes douces ou épicées (environ 500g/1 lb) coupées en rondelles de 2 cm (3/4 po)**	**5**
1	**paquet (500 g/1 lb) de polenta préparée**	**1**
125 ml	**mozzarella partiellement écrémée râpée**	**1/2 tasse**
	parmesan	

Préchauffer le four à 180 °C (350 °F).
Dans une casserole, chauffer l'huile et faire revenir l'oignon et l'ail jusqu'à tendreté. Ajouter le poivron et les champignons, et cuire encore 5 min. Ajouter les tomates et les assaisonnements, puis laisser mijoter 20 min.

Pendant ce temps, faire revenir les rondelles de saucisses dans un poêlon antiadhésif jusqu'à ce qu'elles soient légèrement brunies.

Couper le « saucisson » de polenta en rondelles de 1 cm (1/2 po) d'épaisseur et les placer en une couche uniforme dans le fond d'un plat allant au four d'une capacité de 3 l (12 tasses). Lorsque les saucisses sont prêtes, les incorporer à la sauce et verser le tout sur la polenta. Saupoudrer de mozzarella râpée et de parmesan.

Cuire au four 15 min ou jusqu'à ce que le fromage soit fondu.

Truc

Pour une recette express, utiliser un pot de 700 ml (26 oz) de sauce tomate du commerce parmi la variété offerte : courgettes et champignons, primavera, etc.

Saviez-vous que...

La polenta ou semoule de maïs est un mets d'origine paysanne particulièrement populaire dans le nord de l'Italie, en remplacement des pâtes et du pain. On en fait des tranches que l'on fait griller au four ou frire dans l'huile et que l'on sert comme accompagnement avec du parmesan ou une sauce. On trouve sur le marché une version prête à servir des plus pratiques.

Par portion

Calories 279
Glucides 25 g
Protéines 14 g
Fibres alimentaires 2,3 g
Matières grasses 14 g
Sodium 798 mg

Excellente source de vitamine B_{12}
Bonne source de vitamine C
Source de vitamine A, d'acide folique, de magnésium, de calcium, de fer et de fibres

Polenta mamma mia

Pâtes aux fromages et aux oignons

Plat principal

Voici un plat qui plaira tant aux petits qu'aux grands.

PRÉPARATION : 15 MIN **CUISSON : 15 MIN** **6 PORTIONS DE 300 ML (1 1/4 TASSE)**

750 ml	**coquilles ou fusillis non cuits**	**3 tasses**
10 ml	**huile**	**2 c. à thé**
1	**oignon moyen haché**	**1**
2	**oignons verts hachés**	**2**
375 ml	**champignons en lamelles**	**1 1/2 tasse**
75 ml	**farine**	**1/3 tasse**
650 ml	**lait chaud**	**2 2/3 tasses**
50 ml	**ciboulette hachée ou 15 ml (1 c. à soupe) de ciboulette séchée**	**1/4 tasse**
100 g	**préparation de fromage fondu**	**3 oz**
125 ml	**cheddar extra-fort râpé**	**1/2 tasse**
125 ml	**parmesan râpé**	**1/2 tasse**
	poivre	

Cuire les pâtes à l'eau bouillante salée. Pendant ce temps, dans un poêlon, chauffer l'huile et faire revenir l'oignon, l'oignon vert et les champignons jusqu'à ce que l'oignon soit transparent. Réserver.

Mettre la farine dans une grande casserole. Ajouter le lait chaud et faire cuire à feu moyen, en remuant constamment à l'aide d'un fouet, pendant 5 min ou jusqu'à épaississement de la sauce. Ajouter la ciboulette, les fromages et les légumes réservés. Lorsque les fromages sont bien fondus, poivrer et ajouter les pâtes.

Variante

Incorporer des légumes déjà cuits comme des bouchées de brocoli, des rondelles de carottes ou des pois verts. Pour une saveur différente et un extra de protéines, incorporer du thon en conserve.

Truc

Au moment de réchauffer ces pâtes, ajouter un peu de lait et bien mélanger, car la sauce épaissit en refroidissant.

Info nutritionnelle

250 ml (1 tasse) de pâtes de blé entier cuites fournissent 6,3 g de fibres alors qu'une même quantité de pâtes blanches en contient 2,4 g. C'est presque trois fois plus, pour un goût pratiquement identique!

Par portion

Calories 471
Glucides 65 g
Protéines 24 g
Fibres alimentaires 3,8 g
Matières grasses 12 g
Sodium 580 mg

Excellente source de vitamine B_{12}, de magnésium, de calcium et de fer
Bonne source de vitamine A et d'acide folique
Source de vitamine C et de fibres

Poulet et bœuf

Manger de la viande, c'est permis ! Il suffit de l'apprêter sagement et de laisser la plus grande place dans l'assiette pour les légumes, la salade et les féculents.

Samosas à la libanaise

Se congèle

Chauds, chauds, les chaussons! Ceux-ci prendront aussi peu de temps à fabriquer qu'à disparaître!

PRÉPARATION : 20 MIN **CUISSON : 20 MIN** **25 SAMOSAS**

5 ml	huile	1 c. à thé
250 g	bœuf haché maigre	1/2 lb
1	oignon moyen émincé	1
20 ml	gingembre frais finement haché	4 c. à thé
10 ml	cumin	2 c. à thé
3 ml	curcuma	3/4 c. à thé
1	pomme de terre moyenne, pelée et en dés	1
200 ml	pois verts surgelés	3/4 tasse
200 ml	eau	3/4 tasse
45 ml	pignons rôtis	3 c. à soupe
1	paquet (454 g/1 lb)) de feuilles de pâte à rouleaux impériaux	1
	sel et poivre	
1	œuf battu légèrement	1
	crème sure	

Préchauffer le four à 200 °C (400 °F).

Chauffer l'huile dans un poêlon et y faire revenir la viande et l'oignon avec le gingembre, le cumin et le curcuma jusqu'à ce que la viande soit brunie. Ajouter la pomme de terre, les pois et l'eau. Cuire à couvert pendant 10 min ou jusqu'à ce que les pommes de terre soient cuites et qu'il n'y ait plus de liquide.

Transférer dans un bol, incorporer les pignons et laisser refroidir.

Farcir chaque feuille de pâte d'environ 15 ml (1 c. à soupe) de la garniture à la viande. Plier pour former un triangle et sceller avec un peu d'œuf battu. Procéder ainsi jusqu'à épuisement de la garniture, ce qui donne environ 25 samosas.

Déposer sur une plaque à biscuits huilée ou recouverte de papier parchemin. Huiler ou vaporiser d'huile les deux côtés des samosas. Cuire au four 10 min. Retourner les samosas et cuire encore 10 min ou jusqu'à ce qu'ils soient dorés.

Servir chaud avec de la crème sure.

Une longueur d'avance

La préparation à la viande se conserve deux jours au réfrigérateur et elle peut aussi se congeler. On peut également congeler les samosas avant la cuisson.

Par portion de 3 samosas

Calories 254
Glucides 37 g
Protéines 13 g
Fibres alimentaires 1,7 g
Matières grasses 6,1 g
Sodium 189 mg

Excellente source de vitamine B_{12}
Source d'acide folique, de vitamine C, de magnésium et de fer

Pépites de poulet croustillantes

Samosas à la libanaise

Pépites de poulet croustillantes

Plat principal • Se congèle

Ces bouchées de poulet n'ont pas besoin d'être frites dans l'huile pour être croustillantes. Elles sont délicieuses servies avec la sauce aigre-douce (voir p. 77). Les enfants en redemanderont!

PRÉPARATION : 10 MIN **CUISSON : 15 MIN** **8 PORTIONS**

500 ml	**flocons de maïs**	**2 tasses**
200 ml	**arachides nature ou rôties à sec**	**3/4 tasse**
5 ml	**sel d'oignon**	**1 c. à thé**
200 ml	**lait**	**3/4 tasse**
45 ml	**yogourt nature ou crème sure**	**3 c. à soupe**
750 g	**poitrines de poulet en bouchées**	**1 1/2 lb**

Préchauffer le four à 220 °C (425 °F).

Au robot culinaire, broyer les flocons de maïs en une fine chapelure. Mettre dans une assiette profonde.

Au robot, concasser grossièrement les arachides. Mélanger avec la chapelure. Incorporer le sel d'oignon.

Tremper les morceaux de poulet dans le mélange de lait et de yogourt (si on a le temps, les y faire mariner pendant quelques heures, puis égoutter).

Les rouler ensuite dans le mélange d'arachides. Déposer sur une plaque à biscuits légèrement huilée. Cuire au four 15 min.

Servir chaud ou tiède.

Une longueur d'avance

Faire la préparation de chapelure la veille. On peut aussi la congeler.

Variante

Pour une saveur plus « adulte », ajouter des flocons de piment, du cari ou du chili en poudre.

Saviez-vous que...

L'arachide n'est pas une noix mais une légumineuse de la même famille que les pois et les haricots secs. Et elle pousse sous terre : lorsque les fleurs du plant sont fertilisées, les tiges florales se fanent, se courbent vers le sol et y pénètrent pour donner naissance sous terre à l'arachide.

Par portion

Calories 252
Glucides 12 g
Protéines 30 g
Fibres alimentaires 1,4 g
Matières grasses 9,5 g
Sodium 147 mg

Bonne source de vitamine B_{12} et de magnésium
Source d'acide folique, de calcium et de fer

Pâtés impériaux express

Se congèle

Vous les apprécierez pour les lunchs et les repas vite faits. On peut les réchauffer au four ou les faire frire.

PRÉPARATION : 15 MIN **CUISSON : 20 MIN** **25 PÂTÉS IMPÉRIAUX**

Une longueur d'avance

Faire la préparation à la viande à l'avance, la réfrigérer (elle se conservera jusqu'à deux jours) ou la congeler. Ou préparer et congeler les pâtés impériaux, cuits ou non.

Info nutritionnelle

Le poulet haché est périssable, utilisez-le le jour même ou congelez-le. Si vous avez un robot, hachez vous-même des poitrines de poulet désossées et sans peau pour avoir une viande bien maigre et bien fraîche.

Par portion de 3 pâtés

Calories 195
Glucides 33 g
Protéines 12 g
Fibres alimentaires 0,1 g
Matières grasses 1,5 g
Sodium 309 mg

Bonne source de vitamine C
Source de vitamine A et de vitamine B_{12}
Faible en gras

5 ml	**huile**	**1 c. à thé**
250 g	**viande hachée maigre (poulet ou veau)**	**1/2 lb**
150 ml	**chou vert émincé**	**2/3 tasse**
1	**petit poivron rouge en dés**	**1**
2	**oignons verts hachés**	**2**
2	**gousses d'ail hachées**	**2**
45 ml	**sauce chili**	**3 c. à soupe**
15 ml	**gingembre pelé, haché finement**	**1 c. à soupe**
15 ml	**sauce soja**	**1 c. à soupe**
1	**paquet (454 g/1 lb) de feuilles de pâtes à rouleaux impériaux**	**1**
1	**œuf légèrement battu pour badigeonner**	**1**
	huile pour vaporiser	

Préchauffer le four à 200 °C (400 °F).

Chauffer l'huile dans un poêlon. Y faire revenir tous les ingrédients, sauf la pâte à rouleaux impériaux, jusqu'à ce que la viande soit brunie. Laisser refroidir.

Farcir chaque carré de pâte d'environ 15 ml (1 c. à soupe) de la garniture. Plier pour former un rectangle et sceller avec un peu d'œuf battu. Procéder ainsi jusqu'à épuisement de la garniture pour obtenir environ 25 pâtés.

Déposer sur une plaque à biscuits huilée ou recouverte de papier parchemin. Huiler ou vaporiser d'huile les pâtés de chaque côté. Cuire au four 10 min.

Retourner les pâtés impériaux et cuire encore 10 min ou jusqu'à ce qu'ils soient dorés.

Servir chauds ou tièdes.

Poulet sauté à l'orientale

Plat principal

Et que ça saute! Voici une façon de transformer quelques restes de légumes en un plat unique et savoureux. De plus, la cuisson rapide des légumes permet de conserver une bonne partie de leur valeur nutritive.

PRÉPARATION: 15 MIN **CUISSON: 15 MIN** **6 PORTIONS DE 300 ML (1 1/4 TASSE)**

15 ml	fécule de maïs	1 c. à soupe
15 ml	sauce soja légère	1 c. à soupe
400 g	blanc de poulet en lanières	14 oz
15 ml	huile	1 c. à soupe
3	gousses d'ail hachées finement	3
15 ml	gingembre pelé, haché finement	1 c. à soupe
2	oignons verts hachés	2
1	gros oignon haché	1
500 ml	brocoli en morceaux	2 tasses
500 ml	chou-fleur en morceaux	2 tasses
250 ml	carottes en rondelles	1 tasse
50 ml	jus d'orange	1/4 tasse
1	boîte (284 ml/10 oz) de mandarines égouttées	1
	sel, poivre et graines de sésame	

Sauce

150 ml	bouillon de poulet	2/3 tasse
15 ml	sauce soja légère	1 c. à soupe
15 ml	graines de sésame	1 c. à soupe
15 ml	fécule de maïs	1 c. à soupe
5 ml	huile de sésame	1 c. à thé
	flocons de piment	

Dans un grand bol, délayer la fécule de maïs dans la sauce soja et y faire mariner le poulet.

Dans un autre bol, mélanger tous les ingrédients de la sauce, et réserver.

Chauffer l'huile dans un wok ou une grande poêle profonde. Y faire cuire l'ail, le gingembre, les oignons verts et l'oignon 1 min.

Ajouter le poulet mariné et cuire jusqu'à ce qu'il soit légèrement doré. Ajouter le brocoli, le chou-fleur, la carotte et le jus d'orange. Couvrir et cuire de 3 à 5 min ou jusqu'à ce que le poulet ne présente plus aucune coloration rosée. Ajouter les quartiers de mandarines.

Bien mélanger la sauce, l'incorporer à la préparation de poulet et cuire quelques minutes. Saler, poivrer et saupoudrer de graines de sésame.

Servir sur un nid de riz basmati ou de vermicelles de riz.

Variante

Pour un goût thaïlandais, ajouter 30 ml (2 c. à soupe) de lait de coco et 45 ml (3 c. à soupe) de beurre d'arachide à la sauce.

Truc

Pour s'assurer d'une cuisson uniforme des légumes, les couper de grosseurs égales. Commencer la cuisson par les légumes fermes tels que le brocoli, le chou-fleur et la carotte avant les légumes plus tendres comme les champignons, le poivron ou la courgette. La cuisson doit s'effectuer sur feu vif et lorsque le wok est bien chaud.

Par portion

Calories 179
Glucides 13 g
Protéines 20 g
Fibres alimentaires 2,2 g
Matières grasses 5,2 g
Sodium 404 mg

Excellente source de vitamine A et de vitamine C
Bonne source d'acide folique et de magnésium
Source de vitamine B_{12}, de fer et de fibres

Casserole marocaine aux fruits

Plat principal • Se congèle

Cette préparation gagne en saveur lorsqu'on la réchauffe. Servir avec du couscous.

PRÉPARATION : 20 MIN **CUISSON : 60 MIN** **8 PORTIONS**

Saviez-vous que...

Une portion de viande de la grosseur d'un paquet de cartes suffit amplement à nos besoins en protéines. En l'accompagnant, comme dans cette recette, d'une profusion de légumes, de fruits et d'un produit céréalier, on fera également le plein d'autres éléments nutritifs.

Info nutritionnelle

Plus c'est orangé, plus c'est riche en bêta-carotène, un pigment de couleur qui se transforme en vitamine A dans l'organisme. La carotte et la patate douce font de cette recette une excellente source de cette vitamine amie des os, des yeux et de la peau.

Par portion

Calories 383
Glucides 40 g
Protéines 30 g
Fibres alimentaires 5,0 g
Matières grasses 12 g
Sodium 304 mg

Excellente source de vitamine A, de vitamine B_{12} et de fer
Bonne source de vitamine C, de magnésium et de fibres
Source d'acide folique et de calcium

Préchauffer le four à 180 °C (350 °F).

Dans une grande casserole, faire revenir la viande dans l'huile à feu vif, une petite quantité à la fois, pour bien la saisir. Mettre de côté. Baisser à feu moyen et faire revenir les oignons, l'ail, les carottes et la patate douce jusqu'à ce que les légumes soient tendres, environ 4 min.

Ajouter la pomme et les assaisonnements. Faire cuire 2 min.

Remettre la viande dans la casserole, incorporer les fruits séchés, les tomates, l'eau et le jus de pomme. Couvrir et cuire au four préchauffé pendant 60 min ou jusqu'à ce que la viande soit tendre.

1 kg	**bœuf maigre en cubes de grosseur uniforme**	**2 lb**
15 ml	**huile**	**1 c. à soupe**
2	**oignons moyens hachés grossièrement**	**2**
2	**gousses d'ail hachées**	**2**
2	**carottes en rondelles**	**2**
1	**patate douce pelée, en dés**	**1**
1	**pomme pelée, en dés**	**1**
2 ml	**gingembre**	**1/2 c. à thé**
2 ml	**cari**	**1/2 c. à thé**
2 ml	**cannelle**	**1/2 c. à thé**
2 ml	**sel**	**1/2 c. à thé**
12	**abricots séchés en allumettes**	**12**
12	**pruneaux dénoyautés en deux**	**12**
12	**dattes dénoyautées en deux**	**12**
50 ml	**raisins secs**	**1/4 tasse**
1	**boîte (540 ml/19 oz) de tomates en dés**	**1**
250 ml	**eau**	**1 tasse**
125 ml	**jus de pomme ou vin blanc**	**1/2 tasse**

Pâté chinois sans chinoiseries

Plat principal • Se congèle

Voici le pâté chinois de la famille d'Isabelle! Selon l'inspiration du moment (et le contenu du frigo!), elle ajoute quelques champignons, des dés de courgette ou même une carotte râpée lors de la cuisson des oignons.

PRÉPARATION : 25 MIN **CUISSON : 30 MIN** **9 PORTIONS**

4	**grosses pommes de terre pelées**	4
2	**grosses carottes en tronçons**	2
30 ml	**parmesan râpé**	2 c. à soupe
30 ml	**lait**	2 c. à soupe
15 ml	**ciboulette hachée ou 5 ml (1 c. à thé) de ciboulette séchée**	1 c. à soupe
5 ml	**huile**	1 c. à thé
1	**oignon ou poireau moyen haché**	1
1	**paquet (300 g/10 oz) d'épinards hachés surgelés**	1
500 g	**bœuf haché maigre**	1 lb
15 ml	**sauce Worcestershire**	1 c. à soupe
5 ml	**herbes de Provence**	1 c. à thé
	poivre	
1	**boîte (398 ml/14 oz) de maïs en crème**	1
1	**boîte (199 ml/7 oz) de maïs en grains égoutté**	1

Préchauffer le four à 180 °C (350 °F).

Dans une casserole d'eau bouillante salée, cuire les pommes de terre et les carottes jusqu'à tendreté, puis égoutter. Réduire en purée au pilon, incorporer le parmesan, le lait et la ciboulette et réserver.

Dans un poêlon, chauffer l'huile et y faire revenir l'oignon environ 5 min jusqu'à ce qu'il soit translucide. Ajouter les épinards et cuire jusqu'à décongélation et évaporation du liquide. Déposer dans un plat de cuisson allant au four d'une capacité de 3 l (12 tasses).

Dans le même poêlon, faire brunir la viande, puis égoutter. Ajouter la sauce Worcestershire, les herbes de Provence et poivrer. Incorporer aux épinards. Recouvrir du maïs en crème et du maïs en grains, puis de la purée de pommes de terre et de carottes. Cuire au four 30 min ou jusqu'à ce que le pâté soit chaud et légèrement doré.

Variante

Remplacer une partie ou la totalité du bœuf haché par du sans-viande-hachée. Ce substitut à base de protéines de soja et de blé ne contient ni gras ni cholestérol et il coûte environ moitié moins cher que le bœuf haché maigre.

Saviez-vous que...

Les herbes de Provence se composent d'un mélange de romarin, de sarriette, de marjolaine, de sauge et de basilic en quantités sensiblement égales.

Le fait d'égoutter le gras de cuisson du bœuf haché avant d'ajouter les autres ingrédients de la recette réduit de façon substantielle l'apport en gras.

Par portion

Calories 217
Glucides 26 g
Protéines 16 g
Fibres alimentaires 3,5 g
Matières grasses 6,6 g
Sodium 251 mg

Excellente source de vitamine A, de vitamine B_{12} et d'acide folique
Bonne source de vitamine C, de magnésium et de fer
Source de calcium et de fibres

Pâté chinois sans chinoiseries

Pain de viande aux tomates

Plat principal • Se congèle • Chaud/froid

Essayez ce plat froid, en sandwich : sur une baguette ou dans un pain kaiser avec de la moutarde forte!

PRÉPARATION : 10 MIN **CUISSON : 60 MIN** **8 PORTIONS**

500 g	**bœuf haché maigre**	**1 lb**
125 ml	**boulghour non cuit**	**1/2 tasse**
75 ml	**cheddar extra-fort râpé ou parmesan**	**1/3 tasse**
1	**oignon vert haché**	**1**
1	**œuf**	**1**
45 ml	**tomates séchées réhydratées et hachées**	**3 c. à soupe**
15 ml	**sauce Worcestershire**	**1 c. à soupe**
45 ml	**persil haché ou 15 ml (1 c. à soupe) de persil séché**	**3 c. à soupe**
2	**boîtes (213 ml/7 1/2 oz) de sauce tomate**	**2**
1 ml	**poivre**	**1/4 c. à thé**
30 ml	**cassonade**	**2 c. à soupe**
5 ml	**moutarde sèche**	**1 c. à thé**

Préchauffer le four à 190 °C (375 °F).

Dans un bol, mélanger le bœuf, le boulghour, le fromage, l'oignon vert, l'œuf, les tomates séchées, la sauce Worcestershire, le persil et une boîte de sauce tomate. Déposer dans un moule à pain de 28 x 10 cm (11 x 4 po).

Dans un autre bol, mélanger la seconde boîte de sauce tomate, le poivre, la cassonade et la moutarde sèche. Verser sur le pain de viande. Cuire au four 60 min ou jusqu'à ce qu'un thermomètre inséré au centre du pain de viande indique 70 °C (160 °F).

Variante

Cuire la préparation dans des moules à muffins pour obtenir des portions individuelles; le temps de cuisson sera alors de 25 à 30 min.

Truc

Pour réhydrater les tomates séchées, les faire tremper dans de l'eau bouillante 15 min. Les égoutter, les utiliser ou les couvrir d'huile d'olive et les réfrigérer.

Info nutritionnelle

Ajouter du boulghour permet d'augmenter le rendement de la recette : une économie d'argent et de gras ! Le boulghour est la version « grain entier » du couscous ! Il est plus nutritif et particulièrement riche en niacine, magnésium et fibres.

Par portion

Calories 203
Glucides 15 g
Protéines 17 g
Fibres alimentaires 2,5 g
Matières grasses 8,8 g
Sodium 418 mg

Excellente source de vitamine B_{12}
Bonne source de magnésium et de fer
Source de vitamine A, d'acide folique, de vitamine C, de calcium et de fibres

Desserts

Se sucrer le bec façon santé, c'est possible ! À preuve, ces chouettes gâteries que vous prendrez plaisir à savourer à la fin d'un repas, en collation ou même, pour certaines, au déjeuner.

Biscuits au beurre d'arachide

Se congèle

Une autre façon de servir le traditionnel « beurre d'arachide et confiture » !
Voici un dessert ou une collation que l'adepte de beurre d'arachide saura apprécier.

PRÉPARATION : 20 MIN **CUISSON : 10 MIN** **30 BISCUITS**

200 ml	farine tout usage	3/4 tasse
125 ml	farine de blé entier	1/2 tasse
30 ml	fécule de maïs	2 c. à soupe
5 ml	poudre à pâte	1 c. à thé
2 ml	bicarbonate de sodium	1/2 c. à thé
2 ml	sel	1/2 c. à thé
50 ml	huile de canola	1/4 tasse
125 ml	cassonade légèrement tassée	1/2 tasse
50 ml	sirop de maïs	1/4 tasse
1	œuf	1
50 ml	beurre d'arachide crémeux	1/4 tasse
10 ml	vanille	2 c. à thé
45 ml	sucre	3 c. à soupe
50 ml	confiture ou gelée de framboises	1/4 tasse

Préchauffer le four à 180 °C (350 °F).

Dans un petit bol, mélanger les farines, la fécule, la poudre à pâte, le bicarbonate de sodium et le sel, et réserver.

Dans un grand bol, battre avec un malaxeur l'huile, la cassonade, le sirop de maïs et l'œuf jusqu'à homogénéité. Incorporer le beurre d'arachide et la vanille. Ajouter les ingrédients secs en battant à basse vitesse.

Façonner la pâte en boules de 2,5 cm (1 po) de diamètre, les rouler dans le sucre, puis les déposer sur une plaque à biscuits antiadhésive ou huilée. Faire un creux avec le pouce au centre de chacune et garnir de 2 ml (1/2 c. à thé) de confiture ou de gelée.

Cuire au four 10 min ou jusqu'à ce que les biscuits soient dorés.

Variante

Remplacer la confiture par une cerise, une grosse pépite de chocolat ou une noix (amande, noisette ou demi-noix de Grenoble).

Saviez-vous que...

Le beurre d'arachide a été inventé aux États-Unis en 1890, mais les Africains, les Indiens d'Amérique du Nord et les Indonésiens préparaient une pâte semblable depuis déjà longtemps ! Par exemple, la sauce satay, à base d'arachides, est typiquement indonésienne.

Info nutritionnelle

En plus d'être riches en bons gras monoinsaturés (les mêmes gras qui ont valu à l'huile d'olive sa réputation d'aliment santé), les arachides sont une source économique de protéines et elles fournissent des nutriments qu'il est difficile de trouver dans l'alimentation courante.

Par portion de 2 biscuits

Calories 149
Glucides 26 g
Protéines 2,1 g
Fibres alimentaires 0,9 g
Matières grasses 4,2 g
Sodium 135 mg

Source de fer

Barres tendres aux perles rouges

Biscuits au beurre d'arachide

Barres tendres aux perles rouges

Se congèle

Qu'on l'appelle ataca, atoca ou canneberge, peu importe! Une fois séchée, la canneberge se laisse manger comme du bonbon! Avec sa belle couleur rouge et son petit goût acidulé et un brin sucré, elle rehausse cette recette de barres tendres.

PRÉPARATION : 10 MIN | **CUISSON : 20 MIN** | **20 BARRES**

250 ml	**farine**	**1 tasse**
250 ml	**gruau à l'ancienne**	**1 tasse**
5 ml	**poudre à pâte**	**1 c. à thé**
2 ml	**sel**	**1/2 c. à thé**
250 ml	**cassonade légèrement tassée**	**1 tasse**
50 ml	**huile de canola**	**1/4 tasse**
2	**œufs**	**2**
250 ml	**céréales granola avec raisins secs, recette légère**	**1 tasse**
200 ml	**canneberges séchées**	**3/4 tasse**

Préchauffer le four à 180 °C (350 °F). Huiler légèrement un plat de 23 x 33 cm (9 x 13 po).

Dans un bol, mélanger la farine, le gruau, la poudre à pâte et le sel.

Dans un grand bol, battre avec un malaxeur la cassonade, l'huile et les œufs jusqu'à homogénéité. Ajouter le premier mélange à la préparation liquide en battant à basse vitesse.

À l'aide d'une cuillère de bois, incorporer les céréales et les canneberges au mélange (la pâte sera plutôt épaisse). Verser la préparation dans le moule préparé.

Cuire au four 20 à 25 min ou jusqu'à ce que le dessus soit légèrement ferme au toucher.

Laisser refroidir, puis couper en barres.

Variante

Remplacer les canneberges par des raisins secs, des dattes hachées, des dés de papaye ou des cerises déshydratées.

Truc

On trouve la canneberge séchée à l'épicerie avec les autres fruits séchés.

Par barre

Calories 147
Glucides 26 g
Protéines 2,6 g
Fibres alimentaires 1,3 g
Matières grasses 3,9 g
Sodium 84 mg

Source de fer

Barres granola

Se congèle

Toujours populaires, ces petites douceurs à base de grains entiers, de noix et de fruits nourrissants!

PRÉPARATION : 15 MIN **CUISSON : 30 MIN** **16 BARRES**

Truc

Lorsqu'on les fait griller, les flocons d'avoine prennent un délicieux petit goût de noisette. Il suffit d'étendre le gruau sur une plaque de cuisson et de la mettre au four préchauffé à 180 °C (350 °F) 15 min ou jusqu'à ce que le gruau soit légèrement bruni et odorant.

Saviez-vous que...

Les flocons du gruau à l'ancienne sont plus gros que ceux du gruau rapide et du gruau minute. Toutefois, ces types de gruau ont une valeur nutritive comparable et sont interchangeables dans les recettes.

Info nutritionnelle

Ces barres granola fournissent 5 éléments nutritifs essentiels et moins de gras et de sodium que bien des versions du commerce. Pour une version encore plus santé, enlever les brisures de chocolat et ajouter plus de noix ou de fruits séchés à la recette.

Par barre

Calories 132
Glucides 25 g
Protéines 2,5 g
Fibres alimentaires 1,3 g
Matières grasses 3,5 g
Sodium 42 mg

Source de magnésium et de fer

2	**œufs**	**2**
250 ml	**cassonade légèrement tassée**	**1 tasse**
15 ml	**huile de canola**	**1 c. à soupe**
15 ml	**farine**	**1 c. à soupe**
5 ml	**cannelle**	**1 c. à thé**
1 ml	**sel**	**1/4 c. à thé**
375 ml	**gruau à l'ancienne grillé**	**1 1/2 tasse**
75 ml	**raisins secs**	**1/3 tasse**
75 ml	**canneberges, abricots ou autres fruits séchés hachés**	**1/3 tasse**
50 ml	**brisures de chocolat mi-sucré**	**1/4 tasse**
50 ml	**pacanes hachées, amandes effilées ou graines de tournesol rôties**	**1/4 tasse**

Préchauffer le four à 160 °C (325 °F).

Huiler un plat allant au four de 20 x 28 cm (8 x 11 po).

Dans un bol, mélanger tous les ingrédients. Étendre la préparation dans le plat de cuisson et cuire au four 30 min ou jusqu'à ce que le dessus soit doré.

Laisser refroidir, puis couper en barres.

Croustade aux pommes et à l'érable

Une petite douceur fruitée et croquante bien de chez nous. Ce dessert est encore meilleur le lendemain (lorsqu'il en reste!), alors que les pommes ont ramolli la garniture à l'avoine.

PRÉPARATION : 15 MIN **CUISSON : 30 MIN** **9 CARRÉS**

375 ml	**farine**	**1 1/2 tasse**
250 ml	**gruau à l'ancienne**	**1 tasse**
200 ml	**cassonade légèrement tassée ou sucre d'érable**	**3/4 tasse**
3 ml	**poudre à pâte**	**3/4 c. à thé**
2 ml	**sel**	**1/2 c. à thé**
2 ml	**cannelle**	**1/2 c. à thé**
75 ml	**sirop d'érable**	**5 c. à soupe**
45 ml	**huile de canola**	**3 c. à soupe**
2	**grosses pommes Cortland ou Granny Smith ou poires pelées, en lamelles**	**2**
50 ml	**noix hachées grossièrement**	**1/4 tasse**

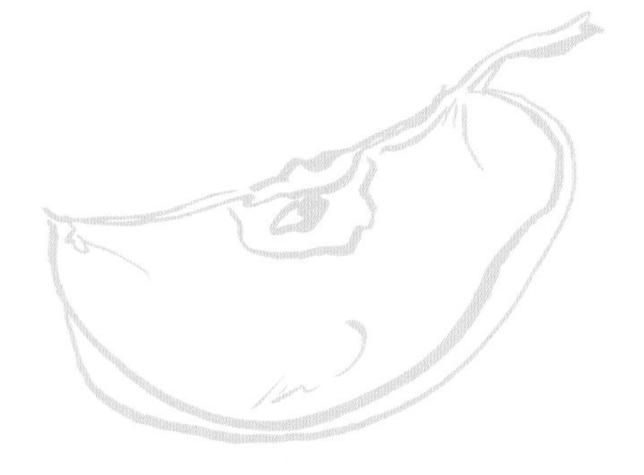

Préchauffer le four à 180 °C (350 °F).

Huiler légèrement un moule carré de 23 cm (9 po) de côté.

Dans un grand bol, mélanger la farine, le gruau, la cassonade, la poudre à pâte, le sel et la cannelle. Incorporer avec les doigts 45 ml (3 c. à soupe) du sirop d'érable et l'huile jusqu'à l'obtention d'une texture grossière.

Presser 500 ml (2 tasses) de ce mélange dans le fond du moule huilé. Disposer les lamelles de pommes en 3 rangées.

Incorporer les noix et les 30 ml (2 c. à soupe) de sirop d'érable restants au reste du mélange de farine. Étendre sur les pommes et presser pour obtenir une couche uniforme.

Cuire au four 30 à 35 min ou jusqu'à ce que les pommes soient cuites et que le dessus soit doré.

Laisser refroidir et couper en carrés.

Une longueur d'avance

Préparer à l'avance le double ou le triple de la préparation au gruau et congeler pour utiliser au besoin.

Saviez-vous que...

Le pommier compte parmi les arbres fruitiers les plus anciens et les plus répandus. Le premier verger de la Nouvelle-France fut planté en 1650 sur les flancs du mont Royal par les Sulpiciens.

Info nutritionnelle

Contrairement à la croyance populaire, les pommes ne sont pas d'excellentes sources de vitamine C. Mais elles contiennent de la pectine, qui peut aider à contrôler le cholestérol et le glucose (ou sucre) sanguins. De plus, crue, la pomme nettoie les dents et masse les gencives.

Par carré

Calories 224
Glucides 37 g
Protéines 4,4 g
Fibres alimentaires 2,4 g
Matières grasses 7,5 g
Sodium 130 mg

Source de magnésium, de fer et de fibres

Gelée aux fruits

Voici un « jello » aux fruits nourrissant. Et il a assez de « tenue » pour supporter le voyage de la maison jusqu'à l'école!

PRÉPARATION : 5 MIN **ATTENTE : 2 H** **16 CARRÉS**

Variante

Verser le mélange liquide directement dans des ramequins ou des bouteilles isolantes pour mets froids. Ajouter des morceaux de fruits (pêches, poires, bananes) et laisser prendre. Éviter toutefois les kiwis et les ananas car ils contiennent une enzyme qui empêchera le mélange de figer.

Info nutritionnelle

Comparativement aux gélatines du commerce, cette version contient plus de nutriments (comme la vitamine C), beaucoup moins de sodium et aucun colorant ni saveur artificiels!

Par carré

Calories 56
Glucides 12 g
Protéines 2,1 g
Fibres alimentaires 0 g
Matières grasses 0,1 g
Sodium 4 mg

Source de vitamine C
Faible en gras

375 ml	**eau froide**	**1 1/2 tasse**
4	**sachets (de 15 ml/1 c. à soupe chacun) de gélatine sans saveur**	**4**
1	**contenant (355 ml/12,5 oz) de concentré de jus surgelé, non dilué (pommes, raisins, orange)**	**1**

Huiler légèrement un plat carré de 23 cm (9 po).

Verser l'eau dans une casserole. Saupoudrer la gélatine et laisser gonfler pendant une minute. Faire chauffer à feu moyen et amener à ébullition en brassant fréquemment. Retirer du feu. Ajouter le concentré de jus et mélanger jusqu'à ce qu'il soit fondu.

Verser dans le plat huilé et réfrigérer pendant 2 h ou jusqu'à ce que le mélange ait pris.

Couper en carrés avec un couteau ou à l'emporte-pièce.

Muffins « explosion de fruits »

Se congèle

Ces muffins tout pleins de petits fruits vous remémoreront les saveurs de l'été lors des grands froids d'hiver. Ils sont tout aussi délicieux préparés avec des fruits surgelés.

PRÉPARATION : 10 MIN **CUISSON : 20 MIN** **12 MUFFINS**

250 ml	**farine tout usage**	**1 tasse**
250 ml	**farine de blé entier**	**1 tasse**
125 ml	**son de blé ou son d'avoine**	**1/2 tasse**
5 ml	**poudre à pâte**	**1 c. à thé**
2 ml	**sel**	**1/2 c. à thé**
2 ml	**bicarbonate de sodium**	**1/2 c. à thé**
50 ml	**petits fruits séchés (cerises, bleuets ou canneberges)**	**1/4 tasse**
1	**œuf**	**1**
125 ml	**cassonade légèrement tassée**	**1/2 tasse**
250 ml	**babeurre**	**1 tasse**
50 ml	**huile de canola**	**1/4 tasse**
10 ml	**zeste de citron**	**2 c. à thé**
5 ml	**vanille**	**1 c. à thé**
375 ml	**petits fruits frais, mélangés (fraises, bleuets, framboises ou mûres) ou 1 paquet (300g/10 oz) de petits fruits mélangés surgelés non dégelés**	**1 1/2 tasse**

Préchauffer le four à 200 °C (400 °F).

Dans un grand bol, mélanger les farines, le son, la poudre à pâte, le sel, le bicarbonate de sodium et les fruits séchés, et réserver.

Dans un bol, battre l'œuf légèrement et incorporer la cassonade. Ajouter le babeurre, l'huile, le zeste, la vanille et bien mélanger. Faire un puits au centre des ingrédients secs et incorporer délicatement le mélange liquide et les fruits en remuant juste assez.

À l'aide d'une cuillère, verser la préparation dans des moules à muffins antiadhésifs (ou graissés).

Cuire au four 20 à 25 min ou jusqu'à ce que les muffins soient fermes au toucher.

Truc

On peut remplacer le babeurre par une égale quantité de yogourt nature. Ou utiliser 250 ml (1 tasse) de lait auquel on ajoutera 15 ml (1 c. à soupe) de jus de citron ou de vinaigre. Laisser alors reposer pendant 5 à 10 min avant d'utiliser.

Info nutritionnelle

Contrairement à ce que l'on pourrait penser, le babeurre n'est pas un aliment riche en gras : il contient moins de 1 % de matières grasses. Il s'agit en fait du petit-lait, le liquide obtenu après le barattage de la crème dans la fabrication du beurre. Comme le sucre du lait (le lactose) a été converti en acide lactique, le babeurre a un goût suret et il se digère facilement chez les personnes intolérantes au lactose.

Par muffin

Calories 160
Glucides 32 g
Protéines 4,4 g
Fibres alimentaires 3,5 g
Matières grasses 2,3 g
Sodium 211 mg

Source de vitamine B_{12}, d'acide folique, de vitamine C, de magnésium, de fer et de fibres
Faible en gras

Muffins multigrains aux pruneaux *Muffins «explosion de fruits»*

Muffins multigrains aux pruneaux

Se congèle

Savoureux, ces muffins! Et ils apportent en prime des fibres et du fer, des éléments souvent déficients dans l'alimentation courante.

PRÉPARATION : 10 MIN **CUISSON : 20 MIN** **12 MUFFINS**

200 ml	**farine tout usage**	**3/4 tasse**
125 ml	**farine de blé entier**	**1/2 tasse**
125 ml	**gruau à l'ancienne**	**1/2 tasse**
125 ml	**germe de blé**	**1/2 tasse**
75 ml	**cassonade légèrement tassée**	**1/3 tasse**
7 ml	**poudre à pâte**	**1 1/2 c. à thé**
5 ml	**cannelle**	**1 c. à thé**
5 ml	**zeste d'orange**	**1 c. à thé**
2 ml	**bicarbonate de sodium**	**1/2 c. à thé**
1	**œuf**	**1**
250 ml	**pruneaux dénoyautés hachés**	**1 tasse**
300 ml	**yogourt nature**	**1 1/4 tasse**
45 ml	**huile de canola**	**3 c. à soupe**

Préchauffer le four à 200 °C (400 °F).

Dans un grand bol, mélanger les farines, le gruau, le germe de blé, la cassonade, la poudre à pâte, la cannelle, le zeste, le bicarbonate de sodium, et réserver.

Dans un bol, battre l'œuf légèrement, puis ajouter les pruneaux, le yogourt et l'huile. Faire un puits au centre des ingrédients secs et incorporer délicatement le mélange liquide en remuant juste assez pour humecter les ingrédients.

Verser la préparation dans des moules à muffins antiadhésifs (ou graissés). Cuire au four 20 à 25 min ou jusqu'à ce que les muffins soient fermes au toucher.

Trucs

Comme cette préparation n'inclut pas beaucoup d'huile, les muffins pourraient coller s'ils étaient cuits dans des moules en papier.

Pour alléger les recettes traditionnelles de muffins, remplacer la moitié de l'huile par une quantité égale de compote de fruits (pommes ou autre) non sucrée.

Saviez-vous que...

La plupart des muffins commerciaux sont faits de farine blanche et contiennent de 350 à 450 calories et de 10 à 20 g (2 à 4 c. à thé) de gras.

Par muffin

Calories 198
Glucides 34 g
Protéines 5,7 g
Fibres alimentaires 3,3 g
Matières grasses 5,2 g
Sodium 117 mg

Bonne source de magnésium
Source de vitamine B_{12}, d'acide folique, de calcium, de fer et de fibres

Scones aux cerises et aux amandes

Se congèle

Ces scones à l'arôme délicieux d'amande partagent un secret qu'il n'en tient qu'à nous de garder : ils contiennent du tofu !

PRÉPARATION : 10 MIN **CUISSON : 15 MIN** **12 SCONES**

Variante

Remplacer les cerises par la même quantité d'abricots séchés, coupés en lanières.

Par scone

Calories 136
Glucides 27 g
Protéines 3,8 g
Fibres alimentaires 2,1 g
Matières grasses 1,9 g
Sodium 217 mg

Source de magnésium, de fer et de fibres
Faible en gras

375 ml	**farine tout usage**	**1 1/2 tasse**
200 ml	**farine de blé entier**	**3/4 tasse**
30 ml	**sucre**	**2 c. à soupe**
15 ml	**poudre à pâte**	**1 c. à soupe**
2 ml	**sel**	**1/2 c. à thé**
2 ml	**cardamome ou cannelle**	**1/2 c. à thé**
2 ml	**bicarbonate de sodium**	**1/2 c. à thé**
125 ml	**cerises déshydratées**	**1/2 tasse**
50 ml	**amandes effilées rôties**	**1/4 tasse**
1	**paquet (300 g/10oz) de tofu mou à saveur d'amande**	**1**
15 ml	**sucre**	**1 c. à soupe**

Préchauffer le four à 200 °C (400 °F).

Dans un grand bol, mélanger les farines, le sucre, la poudre à pâte, le sel, la cardamome, le bicarbonate de sodium, les cerises et les amandes.

Dans une tasse à mesurer, réduire le tofu en purée lisse à l'aide d'un mélangeur à main et ajouter du lait pour obtenir 400 ml (1 2/3 tasse) de liquide.

Faire un puits au centre des ingrédients secs et incorporer les liquides en remuant juste assez pour humecter les ingrédients.

Déposer la pâte par grosses cuillerées sur une plaque à biscuits antiadhésive ou huilée. Saupoudrer de sucre.

Cuire au four 15 min ou jusqu'à ce que les scones soient dorés.

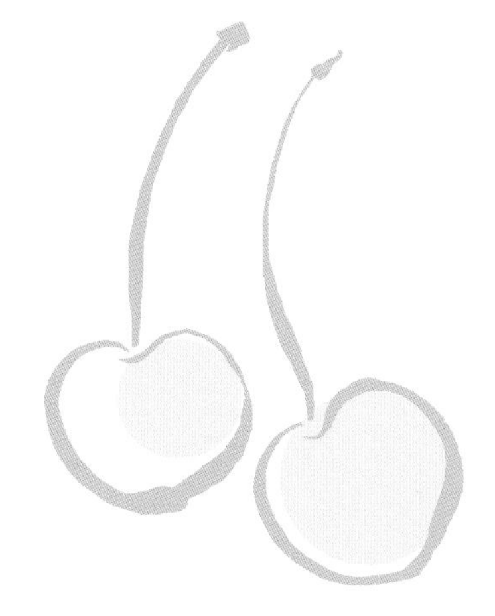

Pouding au chocolat

Un favori des tout-petits! Du pouding, c'est toujours bon!

PRÉPARATION : 5 MIN **CUISSON : 20 MIN** **8 POUDINGS DE 125 ML (1/2 TASSE)**

200 ml	**sucre**	**3/4 tasse**
3	**œufs**	**3**
125 ml	**fécule de maïs**	**1/2 tasse**
1 l	**lait**	**4 tasses**
5 ml	**vanille**	**1 c. à thé**
2	**carrés de chocolat mi-sucré**	**2**

↳ ou
3 à 4 c. Table cacao +
1 c. Table beurre +
2 c. Table sucre.

Dans un bol, mélanger le sucre, les œufs, la fécule, et réserver. Dans une casserole à fond épais, faire chauffer le lait jusqu'à ce qu'il soit fumant (presque au point d'ébullition).

Verser un peu du lait chaud sur le mélange d'œufs pour le réchauffer et mélanger.

Remettre le mélange d'œufs dans la casserole et faire chauffer en brassant continuellement jusqu'à épaississement. Incorporer la vanille et les carrés de chocolat.

Verser dans 8 plats individuels de 200 ml (3/4 tasse).

Variante

Déposer des tranches de banane ou des dés de poire au fond des plats individuels avant de verser le pouding. Ou omettre les carrés de chocolat pour une version à la vanille.

Info nutritionnelle

Comparativement aux poudings du commerce, cette version contient 2 fois plus de vitamine A et d'acide folique et 5 fois moins de sodium.

Par portion

Calories 230
Glucides 40 g
Protéines 6,9 g
Fibres alimentaires 0,4 g
Matières grasses 5,3 g
Sodium 90 mg

Excellente source de vitamine B_{12}
Bonne source de calcium
Source de vitamine A, d'acide folique et de magnésium

Super gâteau au chocolat

Se congèle

Les enfants en redemanderont! Le cacao hollandais donne une saveur et un velouté à ce dessert sans prétention mais nutritif et chocolaté à souhait!

PRÉPARATION: 15 MIN **ATTENTE: 10 MIN** **CUISSON: 35 MIN** **9 PORTIONS**

Truc

Le cacao hollandais donne au gâteau une couleur plus foncée que le cacao dit américain. Et comparativement au chocolat non sucré, qui contient entre 52 et 56 % de gras, le cacao ne contient qu'entre 10 et 24 % de gras.

Info nutritionnelle

La cardamome possède une fine saveur chaude et légèrement poivrée. Elle peut remplacer le gingembre ou la cannelle dans la plupart des recettes.

Par portion

Calories 169
Glucides 29 g
Protéines 7,1 g
Fibres alimentaires 1,1 g
Matières grasses 3,6 g
Sodium 153 mg

Bonne source de calcium
Source de vitamine A, de vitamine B_{12}, d'acide folique, de vitamine C, de magnésium et de fer

1 l	**pain rassis déchiqueté en petits morceaux**	**4 tasses**
2	**œufs**	**2**
1	**boîte (385ml/14 oz) de lait évaporé sans gras**	**1**
125 ml	**cassonade légèrement tassée**	**1/2 tasse**
50 ml	**cacao, hollandais de préférence**	**1/4 tasse**
10 ml	**vanille**	**2 c. à thé**
1	**pincée de cardamome ou de cannelle**	**1**
30 ml	**brisures de chocolat mi-sucré**	**2 c. à soupe**
30 ml	**amandes effilées rôties**	**2 c. à soupe**

Préchauffer le four à 180 °C (350 °F).

Huiler légèrement un moule carré de 23 cm (9 po). Étendre uniformément les morceaux de pain dans le fond du plat.

Dans un grand bol, bien mélanger les œufs, le lait, la cassonade, le cacao, la vanille et la cardamome. Verser sur le pain et piquer avec une fourchette pour bien l'imbiber. Couvrir des brisures de chocolat et des amandes. Laisser reposer 10 min.

Cuire au four 35 min ou jusqu'à ce que le centre soit gonflé et cuit.

Pain à la citrouille au parfum d'orange

Se congèle

Si simple à préparer avec de la purée de citrouille du commerce!

PRÉPARATION : 10 MIN **CUISSON : 60 MIN** **14 TRANCHES DE 2 CM (3/4 PO) D'ÉPAISSEUR**

250 ml	**farine de blé entier**	**1 tasse**
150 ml	**farine tout usage**	**2/3 tasse**
7 ml	**cannelle**	**1 1/2 c. à thé**
5 ml	**bicarbonate de sodium**	**1 c. à thé**
2 ml	**poudre à pâte**	**1/2 c. à thé**
2 ml	**cardamome**	**1/2 c. à thé**
1 ml	**sel**	**1/4 c. à thé**
	zeste d'une orange	
200 ml	**dattes hachées**	**3/4 tasse**
75 ml	**huile de canola**	**1/3 tasse**
2 ml	**vanille**	**1/2 c. à thé**
150 ml	**sucre**	**2/3 tasse**
2	**œufs**	**2**
250 ml	**purée de citrouille**	**1 tasse**
75 ml	**jus d'orange**	**1/3 tasse**

Préchauffer le four à 180 °C (350 °F).

Huiler et fariner un moule à pain de 28 x 10 cm (11 x 4 po). Dans un grand bol, mélanger les farines, la cannelle, le bicarbonate de sodium, la poudre à pâte, la cardamome, le sel, le zeste, les dattes, et réserver.

Dans un bol plus petit, battre l'huile, la vanille et le sucre. Ajouter les œufs et bien mélanger. Incorporer la purée de citrouille et le jus d'orange. Faire un puits au centre des ingrédients secs, puis incorporer la préparation liquide en mélangeant juste assez pour humecter les ingrédients. Verser la préparation dans le moule préparé.

Cuire au four pendant 60 min ou jusqu'à ce qu'un cure-dents inséré au centre du pain en ressorte propre. Retirer du four et laisser reposer 10 min avant de démouler.

Laisser refroidir sur une grille.

Trucs

En prévision des lunchs, trancher le pain, envelopper les tranches séparément et congeler. On peut très bien doubler la recette.

Pour varier, on peut verser la pâte dans des moules à muffins. Le temps de cuisson sera alors d'environ 20 min à une température de 200 °C (400 °F).

Par tranche

Calories 175
Glucides 29 g
Protéines 3,1 g
Fibres alimentaires 2,5 g
Matières grasses 5,9 g
Sodium 153 mg

Excellente source de vitamine A
Source d'acide folique, de vitamine C, de magnésium, de fer et de fibres

Pain à la citrouille et au parfum d'orange

Pain-gâteau choco-banane

Pain-gâteau choco-banane

Se congèle

Avec cette recette, plus d'excuses pour jeter les bananes trop mûres!

PRÉPARATION : 10 MIN **CUISSON : 60 MIN** **14 TRANCHES DE 2 CM (3/4 PO) D'ÉPAISSEUR**

250 ml	**bananes mûres écrasées**	**1 tasse**
50 ml	**huile de canola**	**1/4 tasse**
50 ml	**lait**	**1/4 tasse**
2	**œufs**	**2**
250 ml	**farine tout usage**	**1 tasse**
250 ml	**farine de blé entier**	**1 tasse**
200 ml	**sucre**	**3/4 tasse**
10 ml	**poudre à pâte**	**2 c. à thé**
1 ml	**sel**	**1/4 c. à thé**
125 ml	**brisures de chocolat mi-sucré**	**1/2 tasse**
50 ml	**amandes en allumettes rôties**	**1/4 tasse**

Préchauffer le four à 180 °C (350 °F).

Huiler et fariner légèrement un moule à pain de 28 x 10 cm (11 x 4 po).

Dans un bol, bien mélanger les bananes, l'huile, le lait, les œufs, et réserver.

Dans un grand bol, mélanger le reste des ingrédients. Incorporer le mélange liquide aux ingrédients secs et mélanger juste assez pour humecter la pâte. Verser dans le moule à pain huilé.

Cuire au four 60 min ou jusqu'à ce qu'un cure-dents inséré au centre du gâteau en ressorte propre. Retirer du four et laisser reposer 10 min avant de démouler. Laisser reposer sur une grille.

Truc

Si on n'a pas le temps de préparer la recette, mettre les bananes trop mûres, sans les peler, au congélateur. Après décongélation, elles ont une texture molle et une saveur prononcée idéales pour la confection de gâteaux, de biscuits ou de muffins.

Par tranche

Calories 209
Glucides 34 g
Protéines 4,0 g
Fibres alimentaires 1,8 g
Matières grasses 7,2 g
Sodium 98 mg

Source de vitamine B_{12}, d'acide folique, de magnésium et de fer

Boissons

Rafraîchissantes, désaltérantes et nourrissantes, ces boissons parfumées et colorées seront prêtes en quelques minutes!

Batido à la mangue

Une boisson cubaine à base de lait et de mangue, et à la couleur du soleil!

PRÉPARATION : 10 MIN **3 PORTIONS DE 250 ML (1 TASSE)**

1	**mangue en cubes**	**1**
250 ml	**lait**	**1 tasse**
125 ml	**yogourt nature**	**1/2 tasse**
30 ml	**lait écrémé en poudre**	**2 c. à soupe**
15 ml	**sirop d'érable**	**1 c. à soupe**
	une pincée de cardamome ou de cannelle	
4	**cubes de glace (facultatif)**	**4**

Réduire la chair de la mangue en purée au mélangeur jusqu'à ce qu'elle soit lisse. Incorporer le reste des ingrédients. Mélanger jusqu'à homogénéité.

Servir immédiatement ou laisser refroidir.

Variante

Remplacer la mangue par une boîte (398 ml/14 oz) de pêches en conserve égouttées ou par 250 ml (1 tasse) de purée faite de fruits frais mûrs (pêches, poires, bananes).

Truc

Si la mangue est très fibreuse, passer la boisson au tamis fin.

Saviez-vous que...

La mangue se choisit les yeux fermés! Ne pas se fier à la couleur et opter pour un fruit à l'odeur sucrée et dont la chair cède sous une légère pression des doigts, signe de maturité. Si elle n'est pas suffisamment mûre, la laisser à la température ambiante pendant quelques jours.

Par portion

Calories 143
Glucides 26 g
Protéines 7,3 g
Fibres alimentaires 1,4 g
Matières grasses 1,8 g
Sodium 103 mg

Excellente source de vitamine A et de vitamine B_{12}
Bonne source de vitamine C et de calcium
Source d'acide folique et de magnésium
Faible en gras

Boisson « coup de fouet »

Plat principal

Un mélange « choco-banane » velouté et revigorant.

PRÉPARATION : 5 MIN **2 PORTIONS DE 250 ML (1 TASSE)**

Saviez-vous que...

On peut ajouter un œuf ou des blancs d'œufs à un mélange sans cuisson à condition qu'ils soient pasteurisés (on en trouve dans le commerce). La pasteurisation élimine le risque de contamination à la salmonelle par des produits d'œufs crus.

Par portion

Calories 301
Glucides 45 g
Protéines 16 g
Fibres alimentaires 1,5 g
Matières grasses 7,9 g
Sodium 223 mg

Excellente source de vitamine B_{12}, d'acide folique, de magnésium et de calcium
Bonne source de vitamine A
Source de vitamine C et de fer

250 ml	**lait**	**1 tasse**
1	**banane**	**1**
30 ml	**mélange au malt au chocolat pour boisson (de type Ovaltine)**	**2 c. à soupe**
30 ml	**lait écrémé en poudre**	**2 c. à soupe**
15 ml	**germe de blé**	**1 c. à soupe**
2	**œufs**	**2**

Passer tous les ingrédients au mélangeur jusqu'à ce que le mélange soit lisse.

Le « blues » matinal

Rien de mieux pour entrevoir sa journée en couleur!

PRÉPARATION : 5 MIN **2 PORTIONS DE 200 ML (3/4 TASSE)**

250 ml	**babeurre**	**1 tasse**
200 ml	**bleuets frais ou surgelés**	**3/4 tasse**
15 ml	**lait écrémé en poudre**	**1 c. à soupe**
15 ml	**cassonade**	**1 c. à soupe**

Passer tous les ingrédients au mélangeur jusqu'à ce que le mélange soit bien lisse.

Variante

Pour une version « psychédélique », faire congeler de la purée de bleuets, de fraises ou de framboises dans des bacs à glaçons. Déposer dans un verre de babeurre et laisser fondre doucement en mélangeant pour obtenir des effets de couleur intéressants.

Saviez-vous que...

Les pigments anthocyanins rougeâtres qui donnent aux bleuets leur belle couleur sont des antioxydants qui protègent contre les maladies cardiaques et le cancer. Une bonne raison de « manger bleu » !

Par portion

Calories 127
Glucides 24 g
Protéines 6,1 g
Fibres alimentaires 1,6 g
Matières grasses 1,4 g
Sodium 162 mg

Bonne source de vitamine B_{12} et de calcium
Source d'acide folique, de vitamine C et de magnésium
Faible en gras

Le « blues » matinal *Batido à la mangue* *Boisson « coup de fouet »*

Lait fouetté aux ananas

Une boisson ensoleillée toute en douceur!

PRÉPARATION : 10 MIN **2 PORTIONS DE 250 ML (1 TASSE)**

250 ml	**ananas broyé**	**1 tasse**
125 ml	**lait**	**1/2 tasse**
125 ml	**crème glacée ou yogourt glacé à la vanille**	**1/2 tasse**

Passer tous les ingrédients au mélangeur jusqu'à ce que le mélange soit lisse.

Saviez-vous que...

Les Espagnols ont nommé l'ananas *piña* parce qu'il ressemble à une pomme de pin. La langue anglaise a retenu cette référence et l'appelle *pineapple*.

Info nutritionnelle

L'ananas en conserve peut être utilisé sans problème avec la gélatine ou avec le lait car la cuisson fait disparaître les propriétés de la broméline, une enzyme présente naturellement dans l'ananas. La broméline attendrit la viande, empêche la gélatine de prendre et fait surir le lait.

Par portion

Calories 175
Glucides 32 g
Protéines 3,9 g
Fibres alimentaires 1,2 g
Matières grasses 4,6 g
Sodium 62 mg

Bonne source de vitamine B_{12}
Source de vitamine A, d'acide folique, de vitamine C, de magnésium et de calcium

Tofu fouetté aux amandes et à l'orange

Un bon goût d'amandes et les bienfaits du tofu, vite fait!

PRÉPARATION: 5 MIN **2 PORTIONS DE 250 ML (1 TASSE)**

Par portion

Calories 240
Glucides 35 g
Protéines 11 g
Fibres alimentaires 1,7 g
Matières grasses 7,5 g
Sodium 53 mg

Bonne source de vitamine B_{12}, d'acide folique, de vitamine C et de magnésium
Source de calcium

1	**paquet (300 g/10 oz) de tofu mou à saveur d'amande**	**1**
15 ml	**sucre**	**1 c. à soupe**
125 ml	**jus d'orange**	**1/2 tasse**
30 ml	**amandes moulues**	**2 c. à soupe**
30 ml	**lait écrémé en poudre**	**2 c. à soupe**

Passer tous les ingrédients au mélangeur jusqu'à ce que le mélange soit lisse.

Quatre semaines de menus

En panne d'idées? Menus de saison, menus ethniques, menus végétariens, menus de fêtes... ceux-ci s'ajouteront aux vôtres! Tous ces menus se composent d'aliments d'au moins trois des quatre groupes alimentaires.

Semaine 1

Lundi

Lunch en pièces détachées

L'idéal pour les lunchs de dernière minute ou les repas pris sur le pouce.

Boîte de jus de tomate
Galettes de riz
Œuf dur
Ficelle de fromage
Sachet de grignotises de soja
Banane

Mardi

À l'italienne!

Minestrone (p. 62) ou
Fenouil et orange en salade (p. 94)
Pizza aux oignons et au gorgonzola (p. 131)
Biscotti

Mercredi

C'est l'automne!

Quiche forestière (p. 136)
Salade de céleri-rave à la vinaigrette à l'orange (p. 103)
Croustade aux pêches
Berlingot de lait

Jeudi

Déjeuner-dîner

Pour déjeuner une première ou une seconde fois...

Tartinade croquante au fromage (p. 121) sur muffin anglais ou
Contenant de céréales muesli avec yogourt nature
Trempette à l'arachide (p. 80) avec fruits frais en bouchées
Tofu fouetté aux amandes et à l'orange (p. 179)

Vendredi

Dîner sur l'herbe

Il n'y manque qu'un couteau, une petite cuillère et la nappe à carreaux!

Baguette et/ou craquelins de blé entier
Thon émietté au citron et au poivre (du commerce)
Olives vertes ou noires
Pointe de brie
Noix entières
Grappe de raisin et fraises
Boîte de jus congelé*

* si elle n'est pas complètement dégelée à l'heure du repas, découper le haut de la boîte et déguster le contenu à la cuillère, en sorbet.

Semaine 2

Lundi

Les enfants cuisinent

Des mets qu'ils pourront préparer eux-mêmes durant le week-end.

Sachet de carottes miniatures
Pépites de poulet croustillantes (p. 150)
Salade de chou (du commerce)
Super gâteau au chocolat (p. 169)
Berlingot de lait

Mardi

Congé de viande!

Végé-burger (p. 128) dans un pain rond ou
Pâté au millet ou au seitan (du commerce)
Légumes croquants parfumés au vinaigre balsamique (p. 95) ou
Salade de légumineuses (du commerce)
Muffins « explosion de fruits » (p. 164)

Mercredi

Qui veut de la soupe?

Lorsqu'on a le goût d'un repas liquide!

Crème de palourdes et de fenouil (p. 61) ou
Chowder (prêt à manger, du commerce)
Croûtons ou biscottes
Salade verte, arrosée d'huile et de jus de citron
Scones aux cerises et aux amandes (p. 167)

Jeudi

Saveurs du Moyen-Orient

Salade du Moyen-Orient (p. 105) ou
Salade de carotte à la menthe (p. 102)
Sandwich shish taouk express (p. 117) ou
Samosas à la libanaise (p. 148)
Clémentines
Kéfir

Vendredi
Repas de cabane à sucre
Un avant-goût du printemps!

Cretons maigres et pain de campagne
Lentilles cuites au four (p. 91)
ou
Fèves en sauce tomate (du commerce)
Tranche de jambon
Croustade aux pommes et à l'érable (p. 162) avec tranche de cheddar

Semaine 3

Lundi
Les enfants cuisinent
Des mets qu'ils pourront préparer eux-mêmes durant le week-end.

Trempette aux légumes (du commerce) ou
Mayonnaise à l'avocat (p. 75)
Crudités (tomates cerises, chou-fleur, brocoli)
Rouleaux au thon (p. 114)
Biscuits au beurre d'arachide (p. 158)

Mardi
Chez le Chinois

Soupe vietnamienne au poulet (p. 70) ou
Poulet sauté à l'orientale (p. 152)
Riz blanc
Tutti frutti à la sauce aux graines de pavot (p. 112)
Biscuits chinois
Lait de soja enrichi

Mercredi
Réconfort d'hiver

Jus de légumes
Gratin dauphinois bicolore (p. 88) et Pain de viande aux tomates (p. 156) ou
Pâté chinois sans chinoiseries (p. 154)
Salade verte
Barres granola (p. 161)

Jeudi
Menu du sportif
Parfait pour une journée plein air!

Bâtonnets de carotte et de poivron rouge
Pilaf aux lentilles rouges et au boulghour (p. 92)
Muffins multigrains aux pruneaux (p. 166)
Yogourt en tube
Orange
Bouteille d'eau

Vendredi
C'est l'Halloween!
De quoi plaire à nos petits espiègles!

Jus de crapaud (Potage émeraude, p. 64)
Ragoût de la sorcière (Casserole marocaine aux fruits, p. 153, ou Ragoût de pois chiches épicé, p. 90)
Pain à la citrouille au parfum d'orange, p. 170, et son venin de serpent (purée de pommes du commerce)

Semaine 4

Lundi
Lunch en pièces détachées
L'idéal pour les lunchs de dernière minute ou les repas pris sur le pouce.

Tomates cerises
Bagel
Sachet de noix mélangées
Yogourt à boire
Pomme

Mardi
Repas minceur (500 calories)

Sandwich au poulet et au chutney à la mangue (p. 118)
Melon et concombre en salade (p. 96)
Gelée aux fruits (p. 163)
Berlingot de lait

Mercredi
Congé de viande!

Salade verte, vinaigrette aux poivrons rouges (p. 84)
Macaroni tout garni ! (p. 143)
ou
Burrito aux haricots (surgelé, du commerce) ou
Fettucines Alfre-tofu (p. 141)
Pouding au riz ou tapioca (du commerce)

Jeudi
Les enfants cuisinent
De quoi les occuper lorsqu'ils auront congé de devoirs!

Boules de cantaloup et menthe fraîche, vinaigre balsamique
Coco confetti au riz (p. 134)
Fromage en grains
Barres tendres aux perles rouges (p. 160)

Vendredi
Menu olé olé!

Consommé tex-mex pronto (p. 60)
Riz et haricots noirs en salade mexicaine (p. 99)
Tranches de tomate
Tortilla ou croustilles de maïs cuites au four
Batido à la mangue (p. 174)

Portions par rapport au *Guide alimentaire canadien*

(Pour une portion de la recette)

	Produits céréaliers	Légumes et fruits	Produits laitiers	Viandes et substituts
Soupes et potages				
Consommé tex-mex pronto	1/2	1	0	0
Crème de palourdes et de fenouil	0	1	1/2	1/2
Minestrone	1/2	1	0	1/4
Potage au brocoli et à la pomme	0	1 1/2	1/2	0
Potage émeraude	0	1 1/2	1/4	0
Soupe au bœuf et à l'orge	1/2	1 1/2	0	1/2
Soupe aux boulettes mexicaines	1/2	2	0	1
Soupe aux lentilles au parfum d'orange	0	1 1/2	0	1/4
Soupe au poulet et aux nouilles	1/2	1	0	1
Soupe vietnamienne au poulet (Pho Ga)	1/2	1 1/2	0	1
Tortellinis et épinards en soupe	1/2	2	1/4	0
Vinaigrettes, trempettes et sauces				
Hoummos	0	0	0	0
Mayonnaise à l'avocat	0	0	0	0
Mayonnaise citronnée	0	0	0	0
Sauce aigre-douce	0	1/4	0	0
Sauce rémoulade	0	0	0	0
Trempette aux champignons	0	1/4	0	0
Trempette à l'arachide	0	0	0	1/4
Vinaigrette aux canneberges	0	1/4	0	0
Vinaigrette alla pizzaiolla	0	1/4	0	0
Vinaigrette aux poivrons rouges	0	0	0	0
Vinaigrette des Mille-Îles	0	0	0	0

	Produits céréaliers	Légumes et fruits	Produits laitiers	Viandes et substituts
Légumes, légumineuses et salades				
Gratin dauphinois bicolore	1/4	1	1/2	0
Ragoût de pois chiches épicé	0	1 1/2	0	1/2
Lentilles cuites au four	0	1/2	0	1
Pilaf aux lentilles rouges et au boulghour	1	1/2	0	1/2
Fenouil et orange en salade	0	1	0	0
Légumes croquants parfumés au vinaigre balsamique	0	1 1/2	0	0
Melon et concombre en salade	0	2	0	0
Plumes et poulet aux fruits et au cari	2	1	1/4	1
Pommes de terre nouvelles à la vinaigrette citron-ciboulette	0	3	0	0
Riz et haricots noirs en salade mexicaine	3/4	1	0	1/2
Salade grecque au tofu	1/2	3	1/4	1/2
Salade de carotte à la menthe	0	1 1/2	0	0
Salade de céleri-rave à la vinaigrette à l'orange	0	2	0	0
Salade de lentilles	0	1/2	1/2	1
Salade du Moyen-Orient	1	1	0	1/2
Salade de pâtes au thon et sa vinaigrette aux poivrons	2	1	0	1/2
Salade de tortellinis à la sauce aux tomates séchées	1	2	1/2	0
Salade trois couleurs en deux façons	0	2	0	0
Salade tricolore	0	2	0	1/2
Salade Waldorf	0	1	0	0
Tutti frutti à la sauce aux graines de pavot	0	2	0	0
Pains, pizzas, sandwichs et garnitures				
Rouleaux au thon	1	0	0	1/2
Sandwich au poulet grillé et aux oignons caramélisés	2	1	0	1

	Produits céréaliers	Légumes et fruits	Produits laitiers	Viandes et substituts
Sandwich shish taouk express	2	1/2	0	1
Sandwich au poulet et au chutney à la mangue	2	1/2	0	1/2
Sandwich grillé à la pomme et au fromage	2	1/2	1/2	0
Tartinade croquante au fromage	0	1/4	0	0
Pan-bagnat	2	1	0	1
Persillade tomatée	0	1/4	0	0
Sandwich aux œufs	2	1/4	0	1/2
Emperadado au rôti de bœuf	2	1/2	0	1/2
Végé-burgers	1/2	1/2	0	1/4
Quesadillas italiens	2	1	1	0
Scones aux olives noires, au parmesan et aux pignons	1 1/2	0	1/4	0
Pizza aux oignons et au gorgonzola	1 1/2	1/2	1/4	0
Pizzas pochettes	2	1	1/2	1/4
Œufs et pâtes alimentaires				
Coco confetti au riz	1/2	0	0	1/2
Quiche forestière	1	1	0	1/2
Tortilla española	0	1	0	1
Frittata aux artichauts et au parmesan	0	1	0	1/2
Nouilles aux œufs à l'italienne	1	1	0	1
Fettucines Alfre-tofu	3	0	1/4	1
Macaroni au fromage «code secret»	2	1/2	1/4	1/2
Macaroni tout garni!	1 1/2	2	0	1
Polenta mamma mia	1	1 1/2	1/4	1
Pâtes au fromage et aux oignons	2	1	1 1/2	0
Poulet et bœuf				
Samosas à la libanaise	2	1/2	0	1/2
Pépites de poulet croustillantes	1/4	0	0	1
Pâtés impériaux express	2	1/2	0	1/4

	Produits céréaliers	Légumes et fruits	Produits laitiers	Viandes et substituts
Poulet sauté à l'orientale	0	2 1/2	0	1
Casserole marocaine aux fruits	0	2 1/2	0	1
Pâté chinois sans chinoiseries	0	2	0	1
Pain de viande aux tomates	1/2	1/2	0	1
Desserts				
Biscuits au beurre d'arachide	1/2	0	0	0
Barres tendres aux perles rouges	1/2	1/4	0	0
Barres granola	1/4	1/4	0	0
Croustade aux pommes et à l'érable	1 1/2	1/4	0	0
Gelée aux fruits	0	3/4	0	0
Muffins «explosion de fruits»	1	1/4	0	0
Muffins multigrains aux pruneaux	1	1/2	0	0
Scones aux cerises et aux amandes	1	1/4	0	1/4
Pouding au chocolat	0	0	1/2	0
Super gâteau au chocolat	1/2	0	1/4	0
Pain à la citrouille au parfum d'orange	3/4	1/2	0	0
Pain-gâteau choco-banane	1	0	0	0
Boissons				
Batido à la mangue	0	1/2	3/4	0
Boisson «coup de fouet»	1/4	1	1	1
Le «blues» matinal	0	1/2	1/2	0
Lait fouetté aux ananas	0	1	1/2	0
Tofu fouetté aux amandes et à l'orange	0	1/2	1/4	1

Index

Table des matières

Soupes et potages

Vinaigrettes, trempettes et sauces

Légumes, légumineuses et salades

Pains, pizzas, sandwichs et garnitures

Œufs et pâtes alimentaires

Poulet et bœuf

Desserts

Boissons